SUPER SUDOKU FOR KIDS

Modern Publishing
A Division of Unisystems, Inc.
New York, New York 10022

Sudoku is fun and easy to play! There is no math involved-just reasoning and logic! Fill in each 4x4, 6x6, or 9x9 grid with the letters, shapes, or numbers provided so that in each row, column, and square, each repeats only once.

COVER PUZZLE

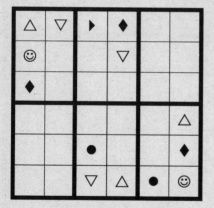

Printed in the U.S.A.
Series UPC: 50020

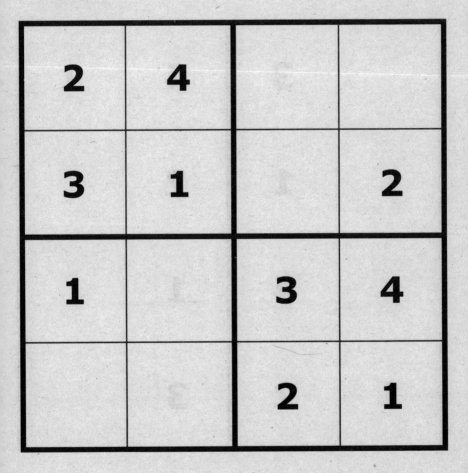

2	4		
3	1		2
1		3	4
		2	1

	3	4	1
	1	2	
	4	1	
1	2	3	

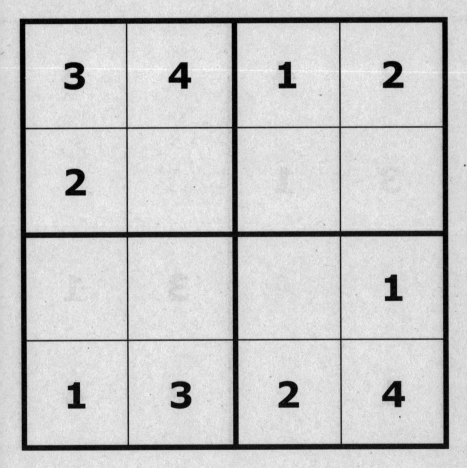

3	4	1	2
2			
			1
1	3	2	4

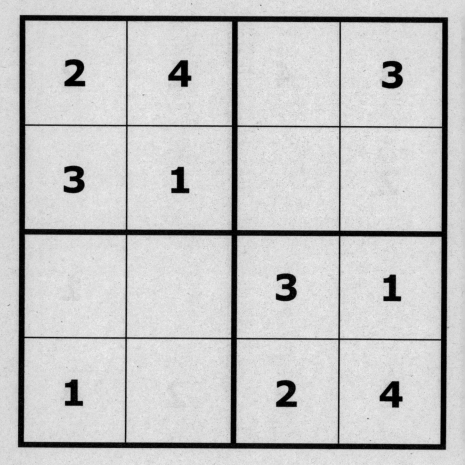

2	4		3
3	1		
		3	1
1		2	4

5

C	A	B	
	D		C
D		C	
	C	D	B

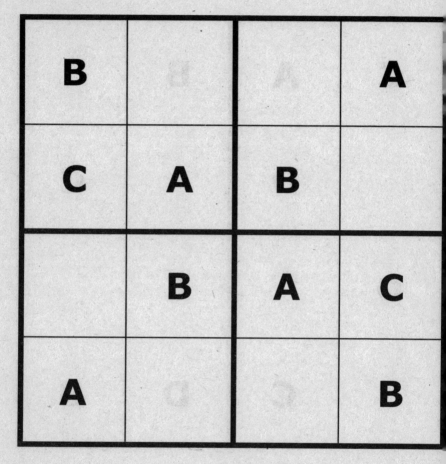

B			A
C	A	B	
	B	A	C
A			B

B	D	A	C
	A		
		D	
D	B	C	A

8

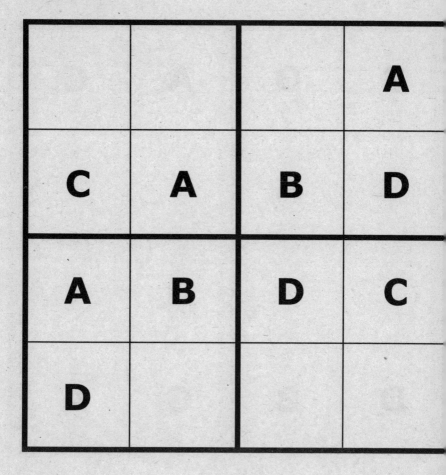

			A
C	A	B	D
A	B	D	C
D			

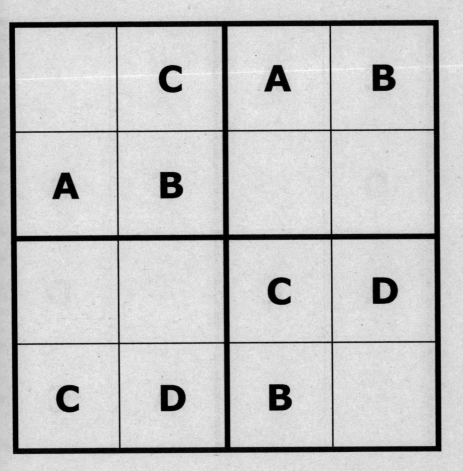

	C	A	B
A	B		
		C	D
C	D	B	

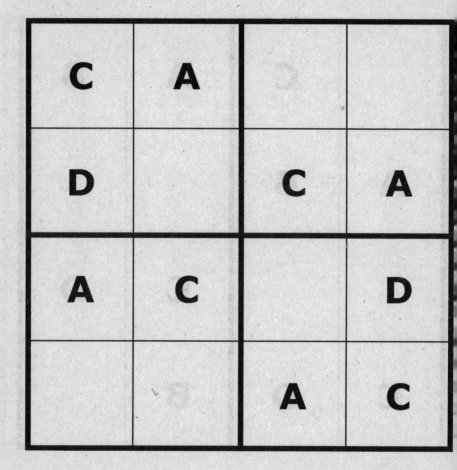

C	A		
D		C	A
A	C		D
		A	C

A	C	D	
		C	A
C	B		
	A	B	C

	B	C	A
A	C		
		A	C
C	A	D	

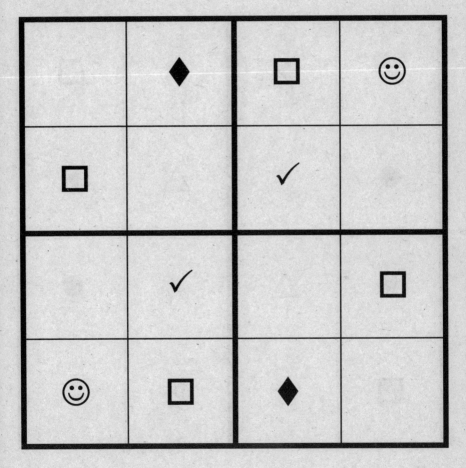

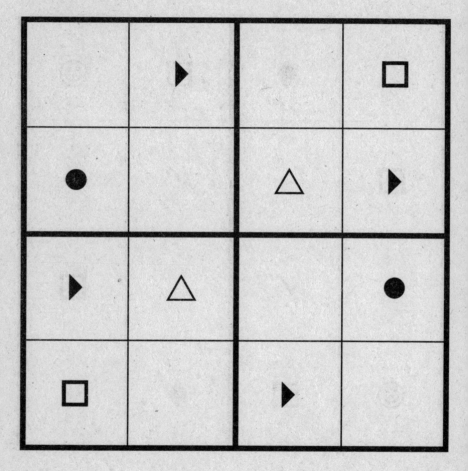

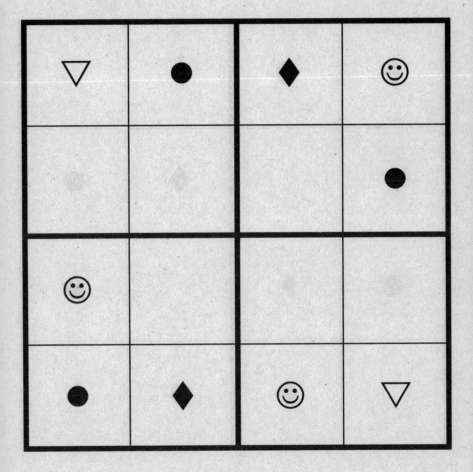

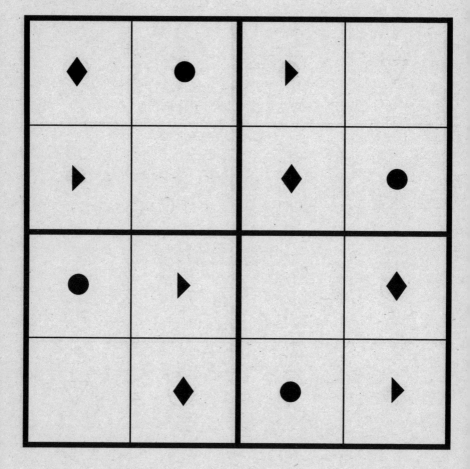

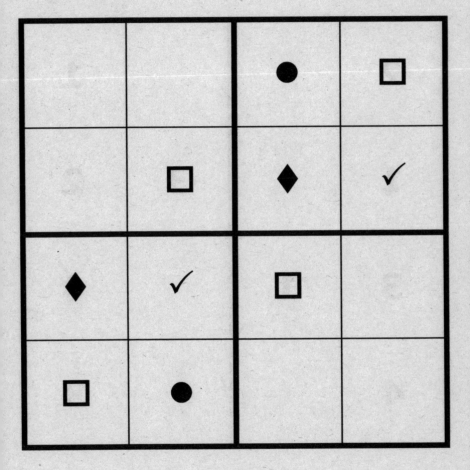

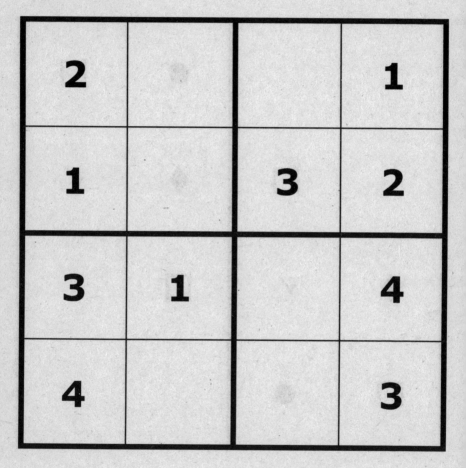

2			1
1		3	2
3	1		4
4			3

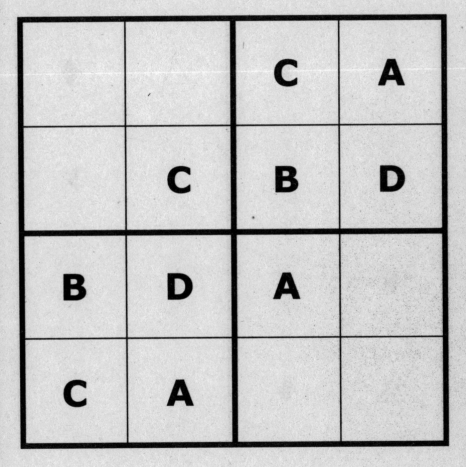

		C	A
	C	B	D
B	D	A	
C	A		

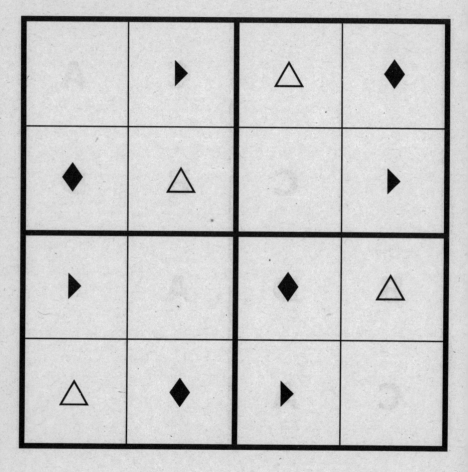

	□	◆	
△	◆	□	
	▽	△	◆
	△	▽	

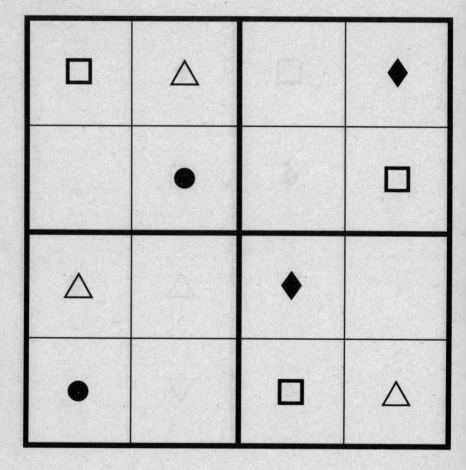

23

	△	▽	
	●	◆	△
●	▽	△	
	◆	●	

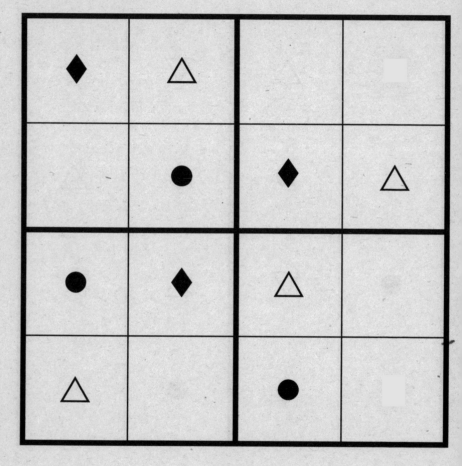

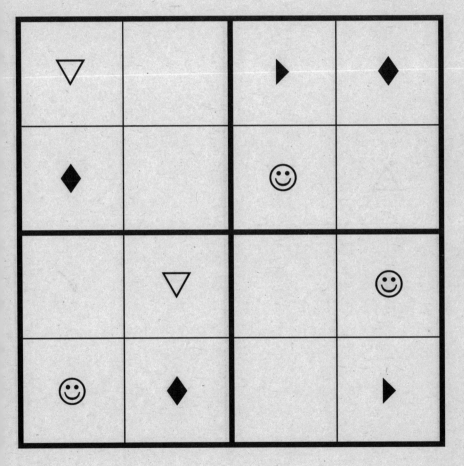

26

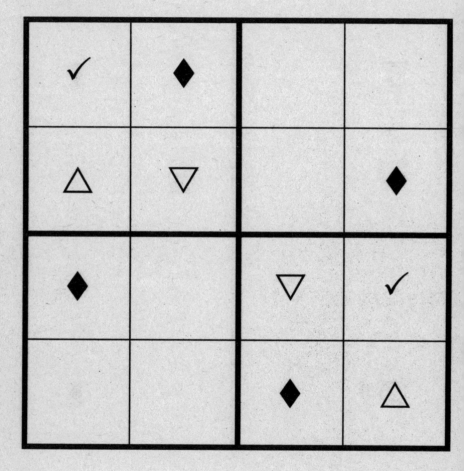

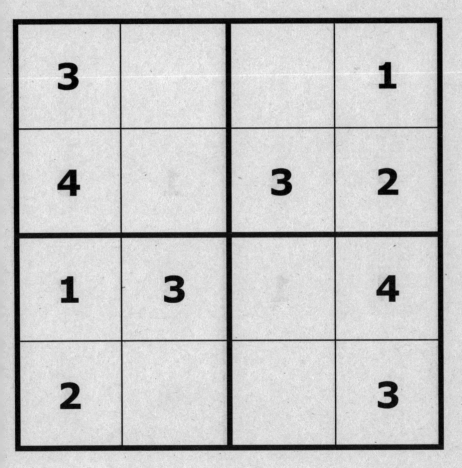

3			1
4		3	2
1	3		4
2			3

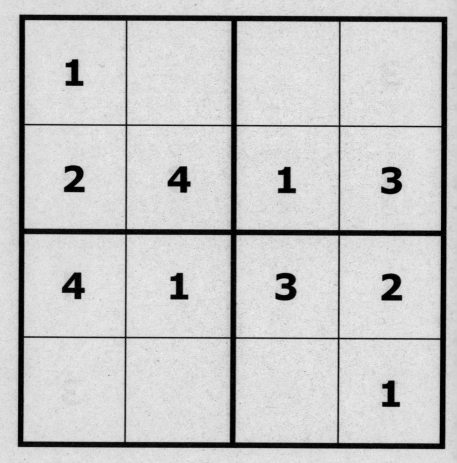

1			
2	4	1	3
4	1	3	2
			1

	1	4	
4	2	3	
	3	1	4
	4	2	

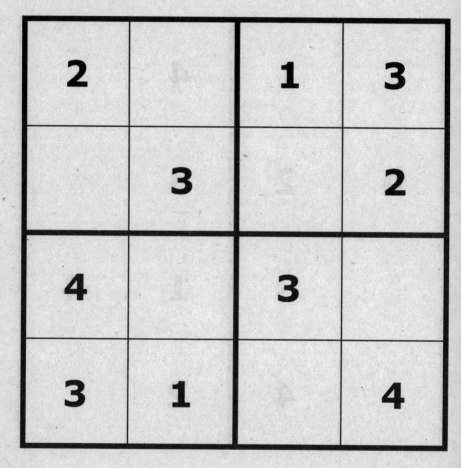

2		1	3
	3		2
4		3	
3	1		4

31

	2	1	
3		4	2
1	3		4
	4	3	

32

3		2	
	2	1	3
1	4	3	
	3		1

2	1	3	
4	3		
		4	3
	4	1	2

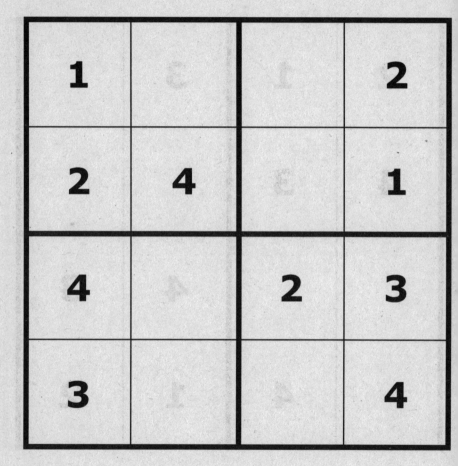

1			2
2	4		1
4		2	3
3			4

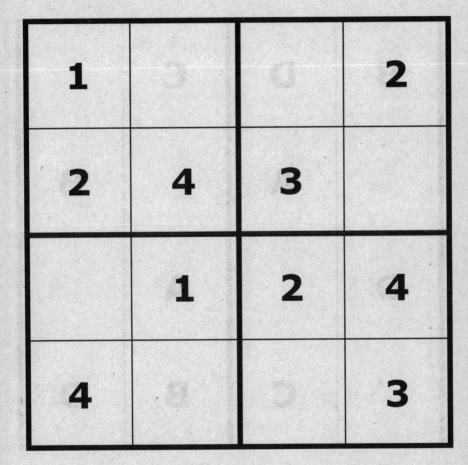

1			2
2	4	3	
	1	2	4
4			3

B	D	C	
	A		B
D		A	
	C	B	D

B	D	C	
		B	D
D	B		
	C	D	B

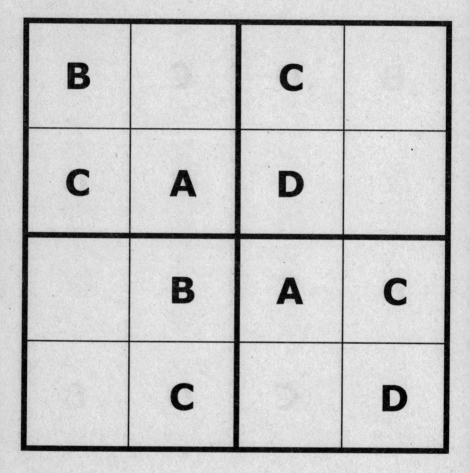

B		C	
C	A	D	
	B	A	C
	C		D

	B	D	A
D		C	
	C		D
B	D	A	

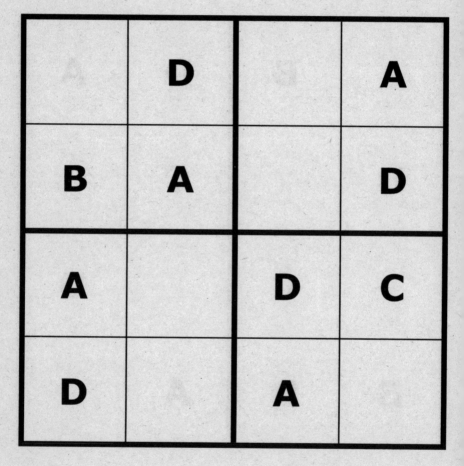

	D		A
B	A		D
A		D	C
D		A	

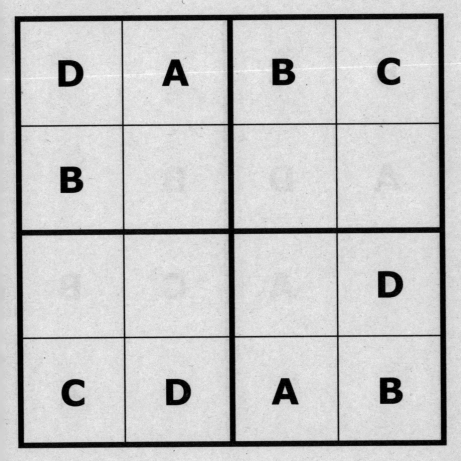

D	A	B	C
B			
			D
C	D	A	B

B	C		
A	D	B	
	A	C	B
		D	A

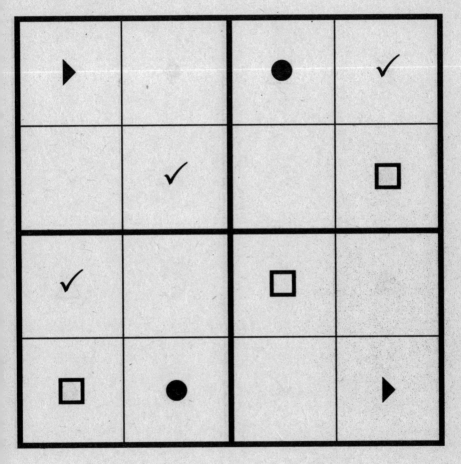

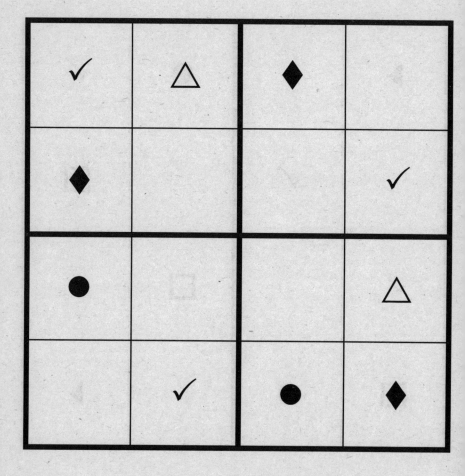

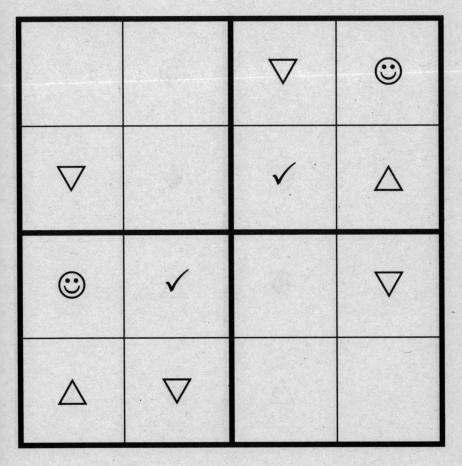

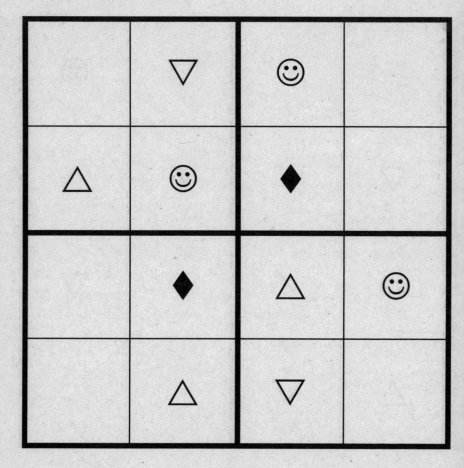

47

●		☺	
	☺	▶	●
☺	●	◆	
	◆		☺

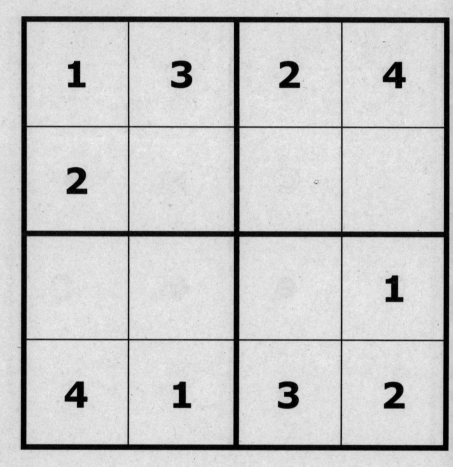

1	3	2	4
2			
			1
4	1	3	2

	B	C	
A	C	B	
	D	A	C
	A	D	

50

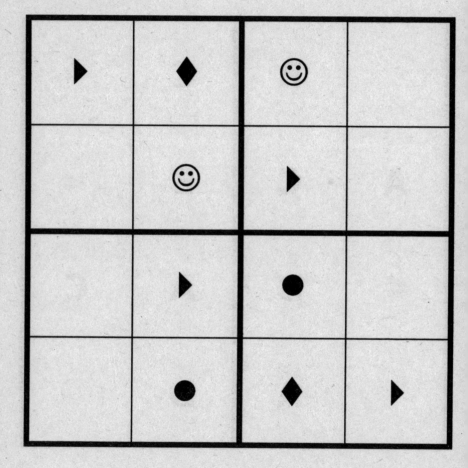

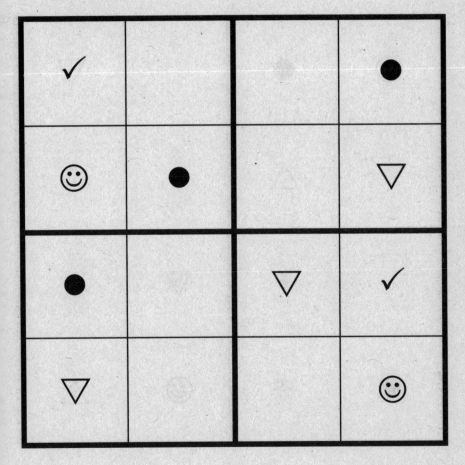

52

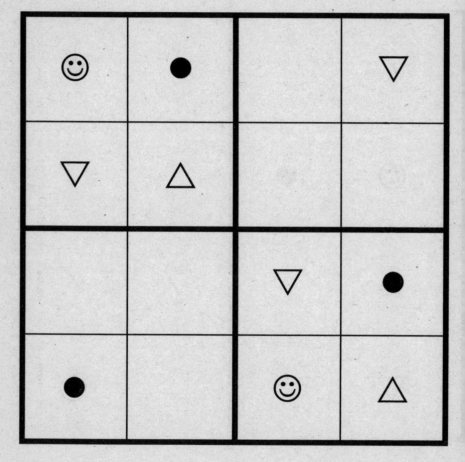

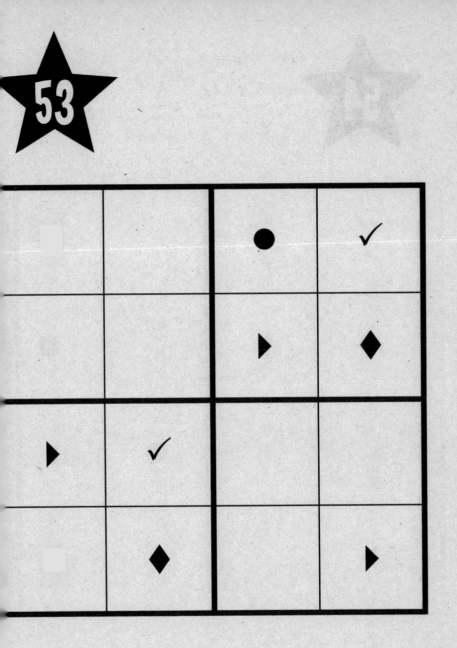

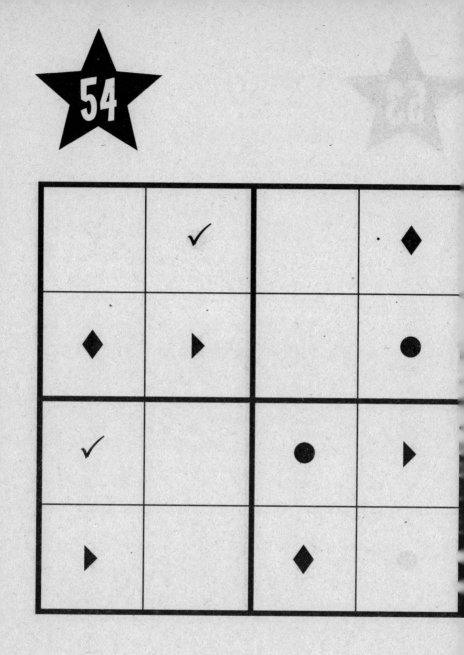

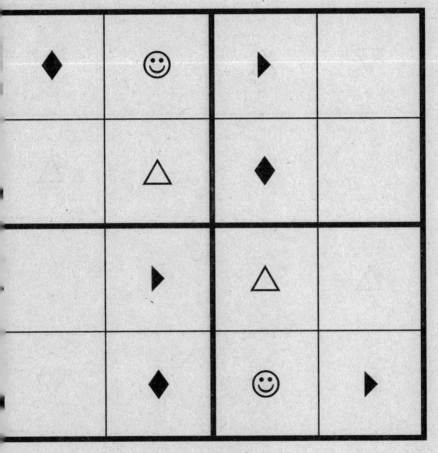

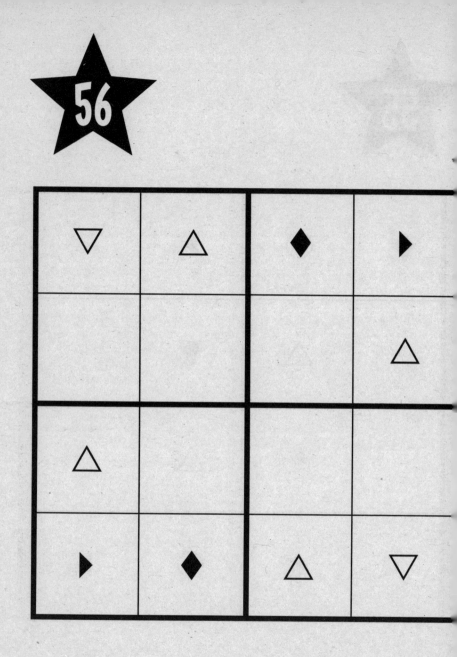

58

1		3	4
	4	1	
	3	4	
4	1		3

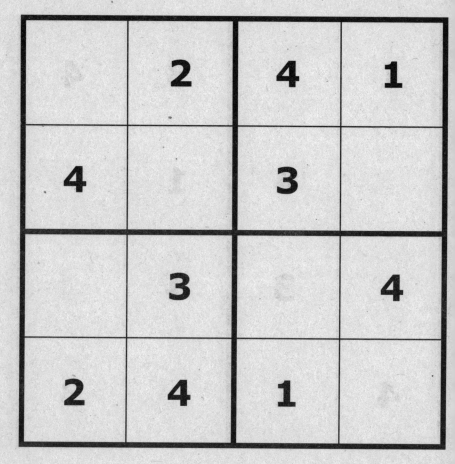

	2	4	1
4		3	
	3		4
2	4	1	

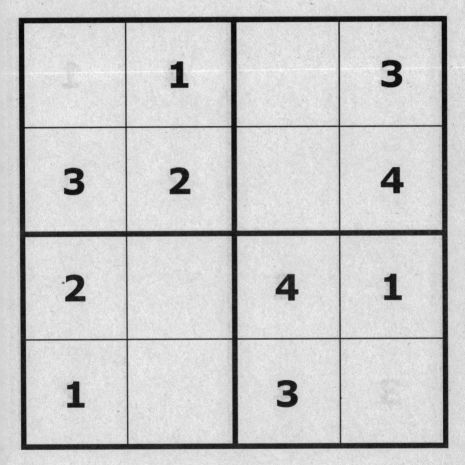

	1		3
3	2		4
2		4	1
1		3	

2		4	1
		2	3
1	2		
3	4		2

61

3	2	4	1
			2
2			
4	1	2	3

62

4			2
1		4	3
2	4		1
3			4

63

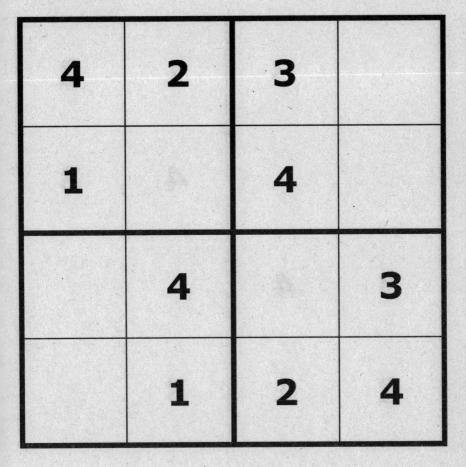

4	2	3	
1		4	
	4		3
	1	2	4

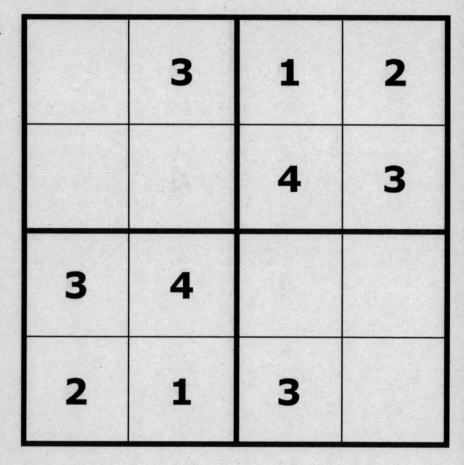

	3	1	2
		4	3
3	4		
2	1	3	

65

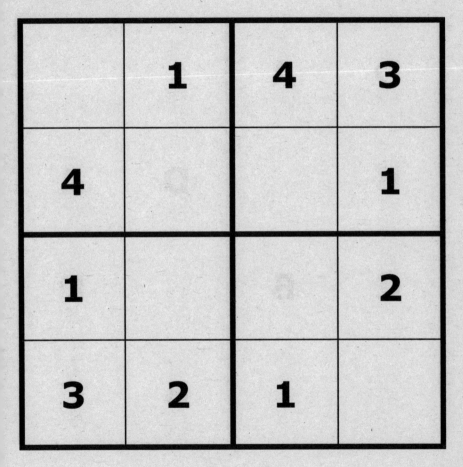

	1	4	3
4			1
1			2
3	2	1	

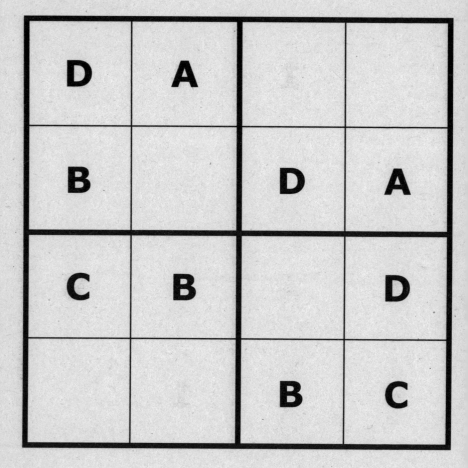

D	A		
B		D	A
C	B		D
		B	C

			D
B	D	C	A
C	A	D	B
D			

68

B	A	C	D
			B
A			
C	B	D	A

69

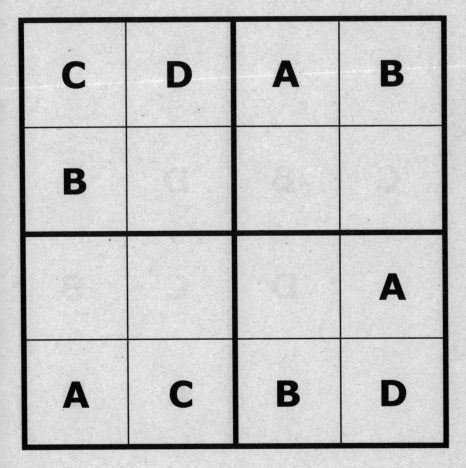

C	D	A	B
B			
			A
A	C	B	D

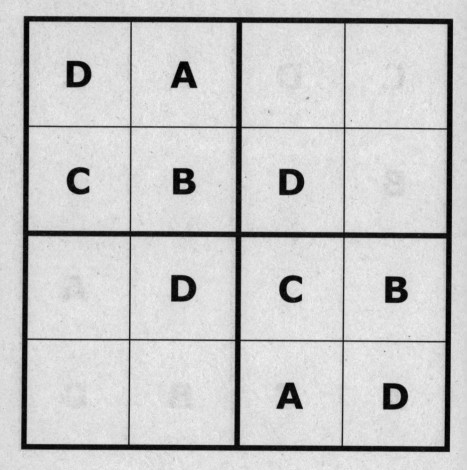

D	A		
C	B	D	
	D	C	B
		A	D

	A	B	C
B	C		
		C	D
C	D	A	

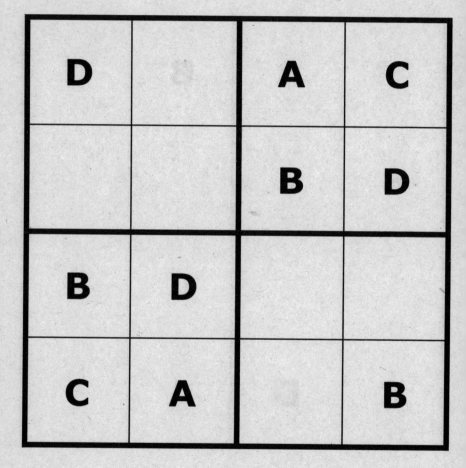

D		A	C
		B	D
B	D		
C	A		B

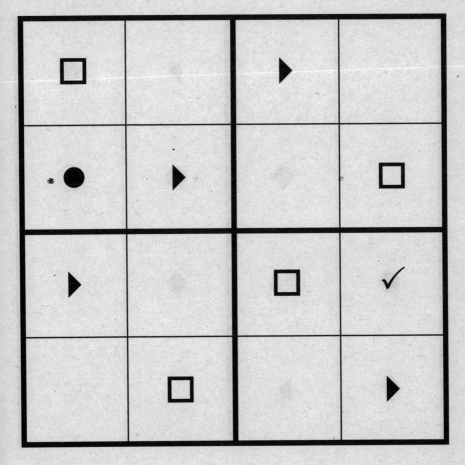

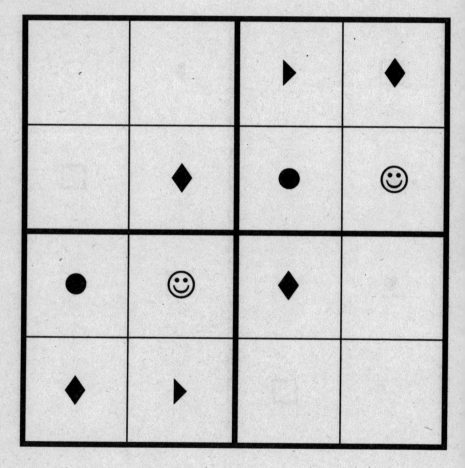

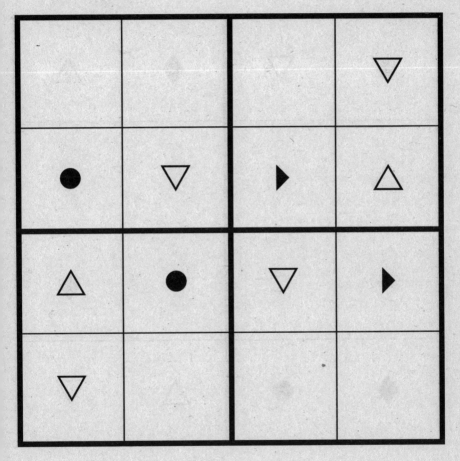

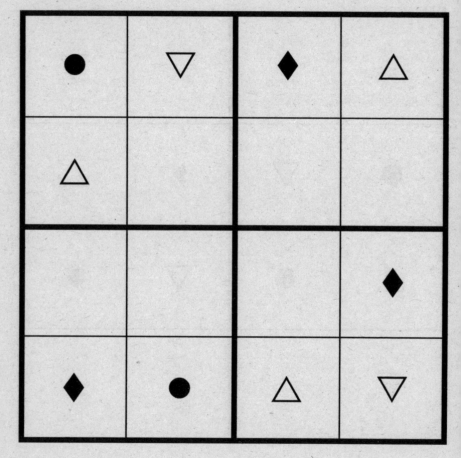

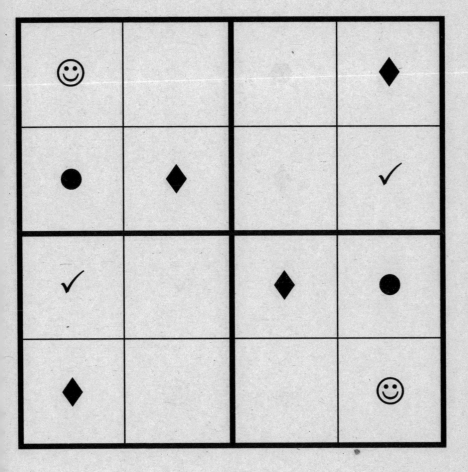

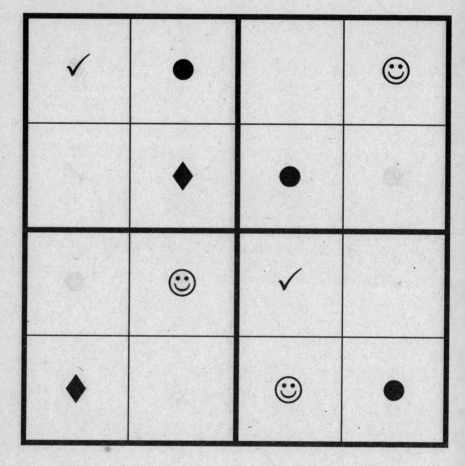

	3	1	
2	1	3	
	4	2	3
	2	4	

	D	A	C
	A	D	
	C	B	
A	B	C	

81

		4			1
	1			3	
6	2	1			
			5	1	3
	5			4	
1			4		

6	2	3			
	3		1	2	
	4				
				1	
	5	1		3	
			6	4	2

	3	6	5		
	5		4	6	2
4	6	5		1	
		1	6	5	

5	4		1	2	
				1	
		4			5
2			4		
	1				
	6	3		5	1

2		3			
	5	6			
	6		5		4
5		4		3	
			1	4	
			3		5

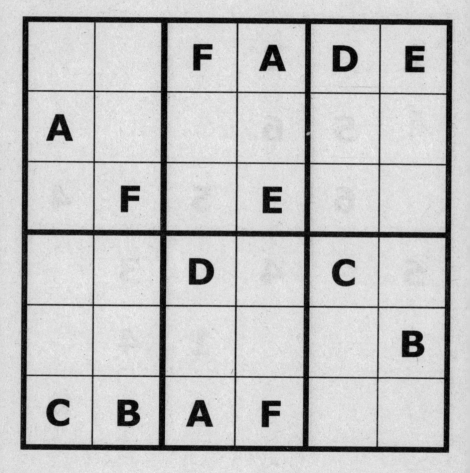

		F	A	D	E
A					
	F		E		
		D		C	
					B
C	B	A	F		

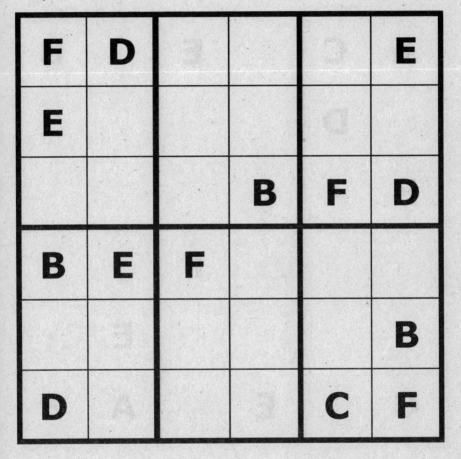

F	D				E
E					
			B	F	D
B	E	F			
					B
D				C	F

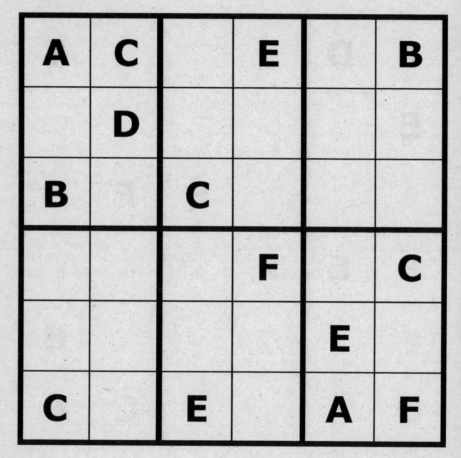

A	C		E		B
	D				
B		C			
			F		C
				E	
C		E		A	F

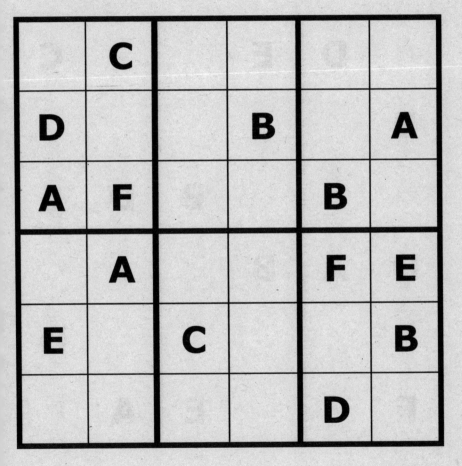

	C				
D			B		A
A	F			B	
	A			F	E
E		C			B
				D	

	D	E			C
B					
			B	D	E
D	A	B			
					D
F			E	A	

91

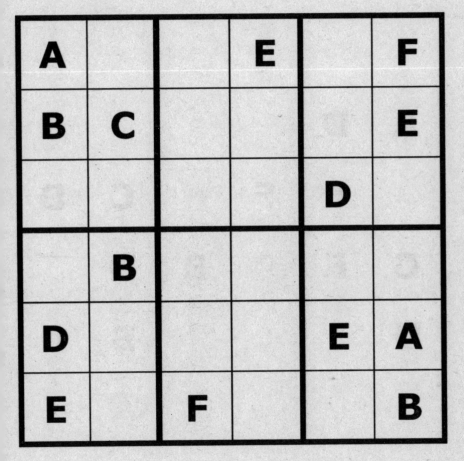

A			E		F
B	C				E
				D	
	B				
D				E	A
E		F			B

93

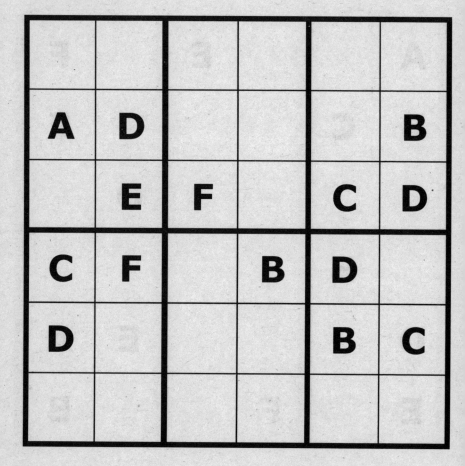

A	D				B
	E	F		C	D
C	F		B	D	
D				B	C

93

	B	C		F	D
F	C				
			E		
		A			
				B	A
D	A		C	E	

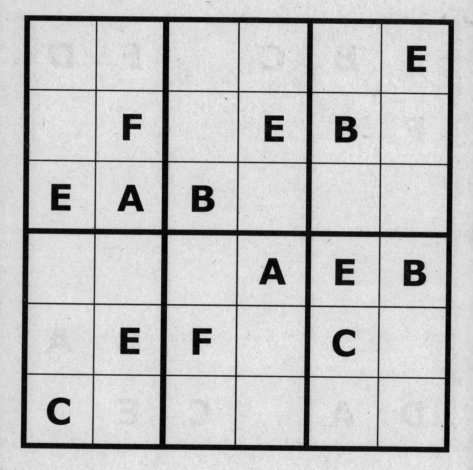

					E
	F		E	B	
E	A	B			
			A	E	B
	E	F		C	
C					

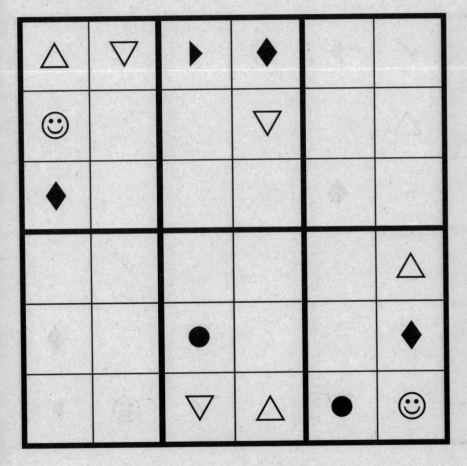

96

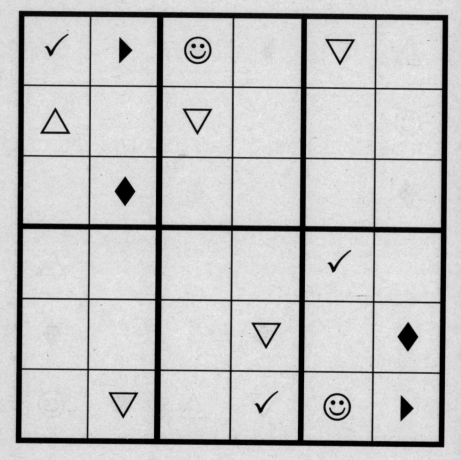

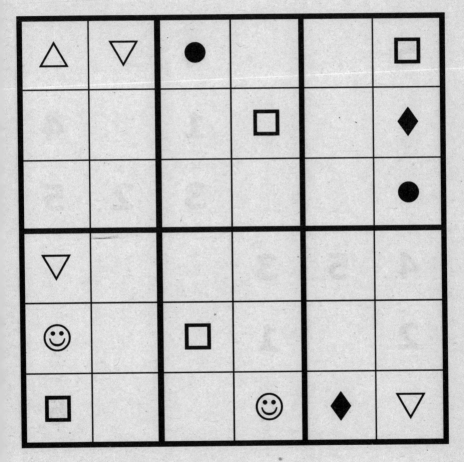

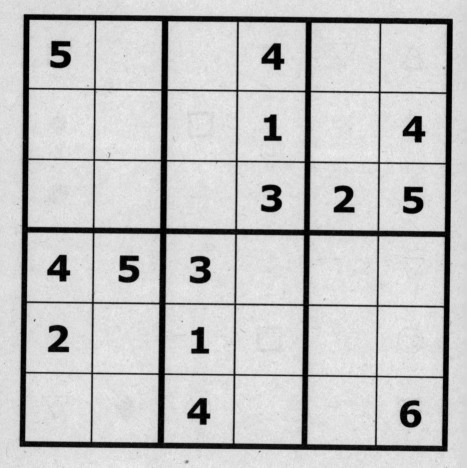

5			4		
			1		4
			3	2	5
4	5	3			
2		1			
		4			6

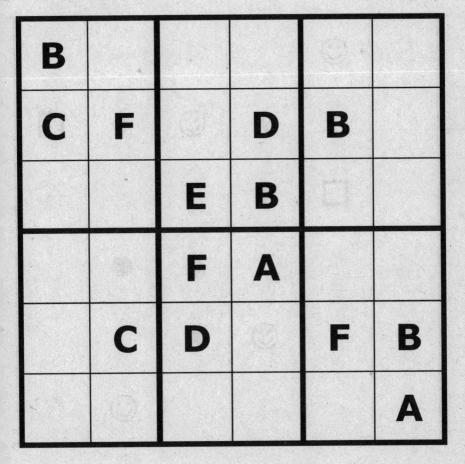

B					
C	F		D	B	
		E	B		
		F	A		
	C	D		F	B
					A

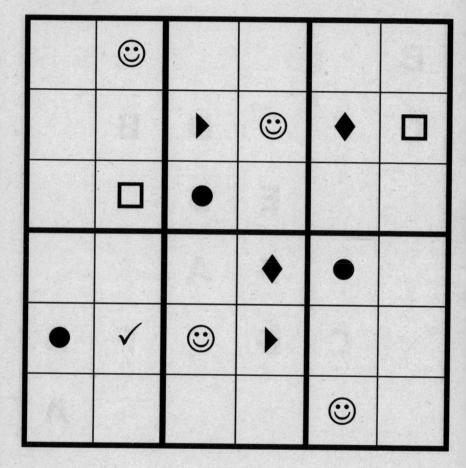

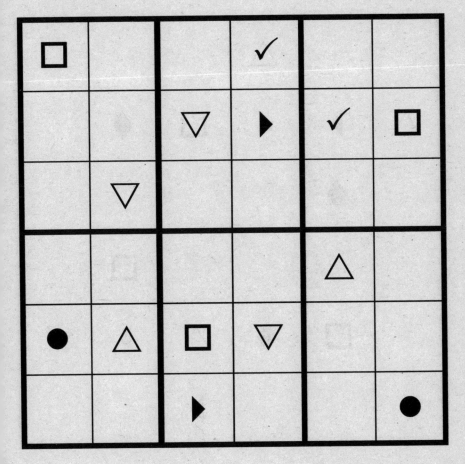

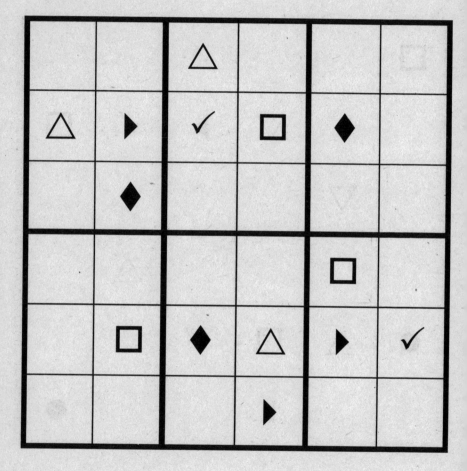

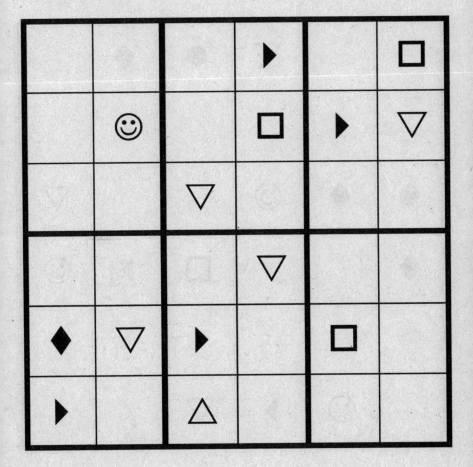

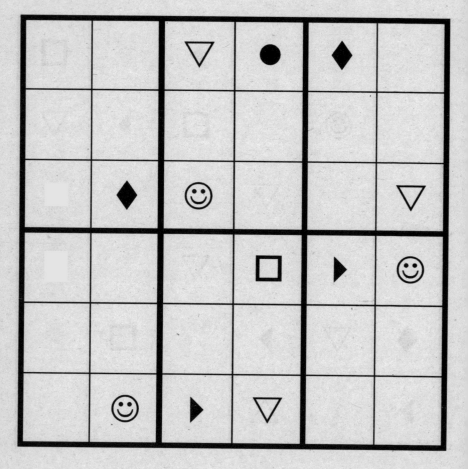

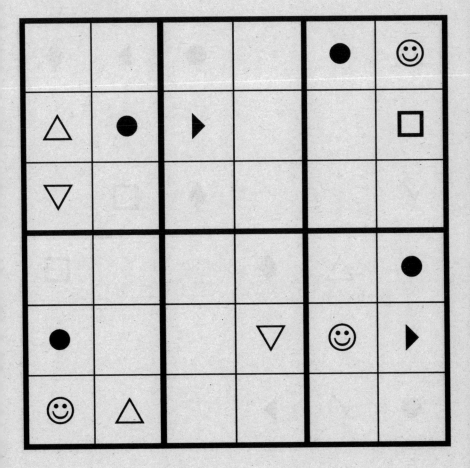

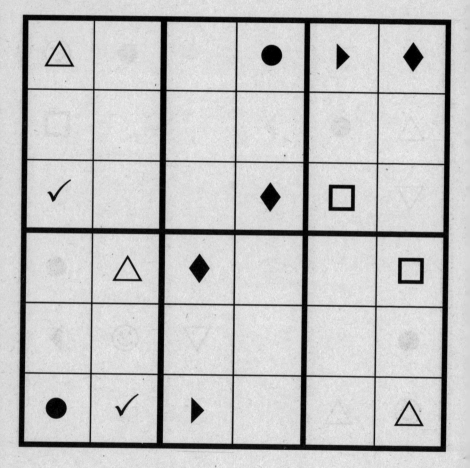

	3	4		1	6
		2	3		4
3		5	6		
5	6		2	4	

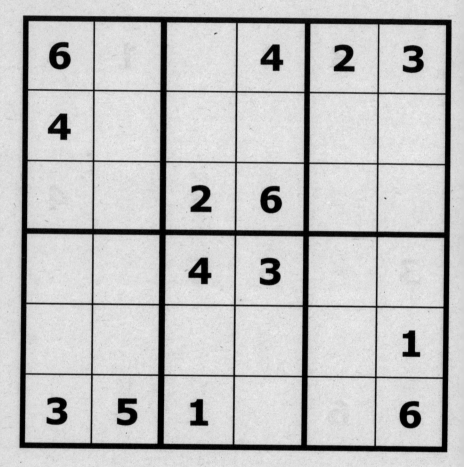

6			4	2	3
4					
		2	6		
		4	3		
					1
3	5	1			6

3	4				
			3	4	
	2	1		5	
	6		5	3	
	3	4			
				2	6

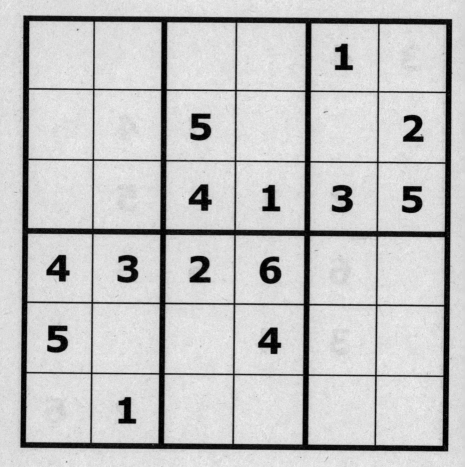

				1	
		5			2
		4	1	3	5
4	3	2	6		
5			4		
	1				

111

		1			
				4	5
	2	3	5	6	
	1	2	3	5	
2	4				
			1		

4	6		1		
5	1		3		
				5	
	3				
		3		6	4
		1		3	5

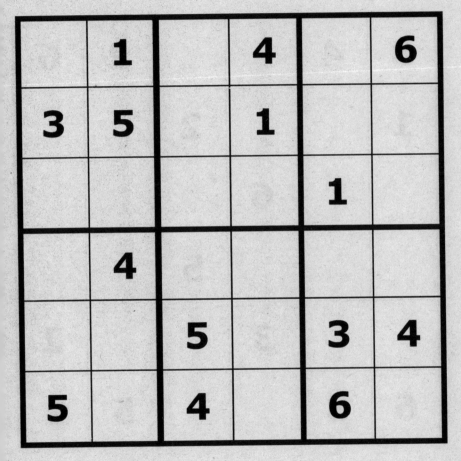

	1		4		6
3	5		1		
				1	
	4				
		5		3	4
5		4		6	

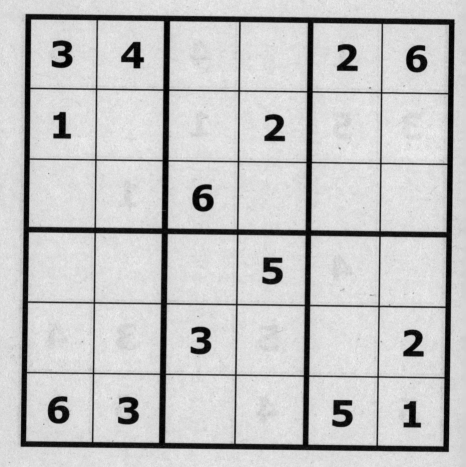

3	4			2	6
1			2		
		6			
			5		
		3			2
6	3			5	1

115

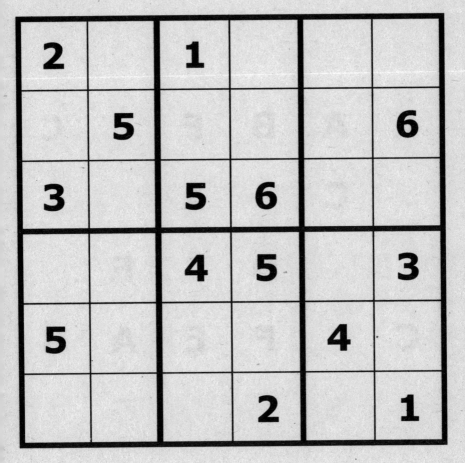

2		1			
	5				6
3		5	6		
		4	5		3
5				4	
			2		1

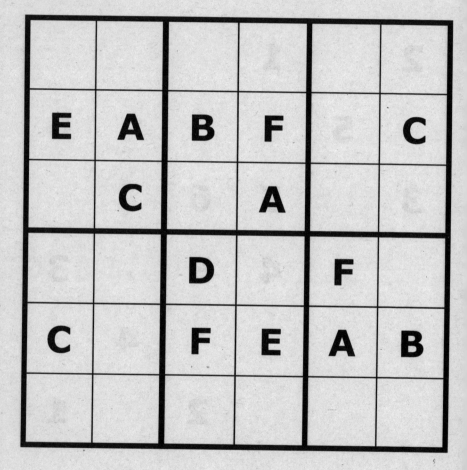

E	A	B	F		C
	C		A		
		D		F	
C		F	E	A	B

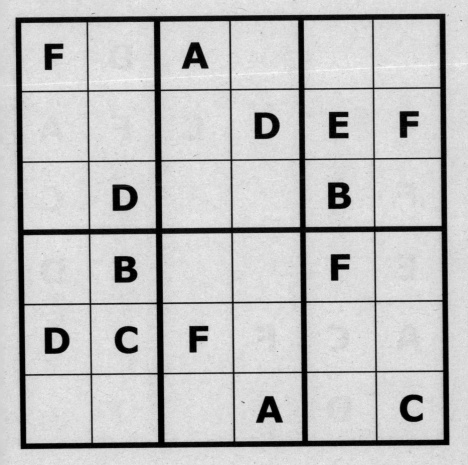

F		A			
			D	D E	F
	D			B	
	B			F	
D	C	F			
			A		C

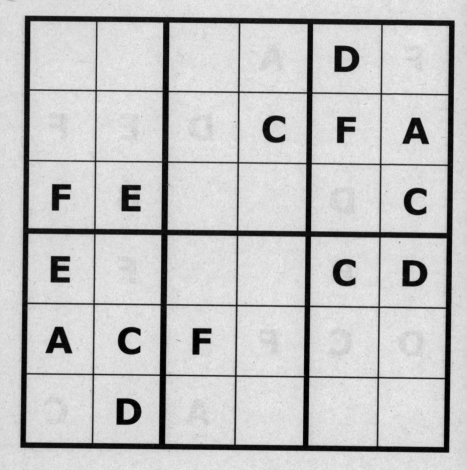

				D	
			C	F	A
F	E				C
E				C	D
A	C	F			
	D				

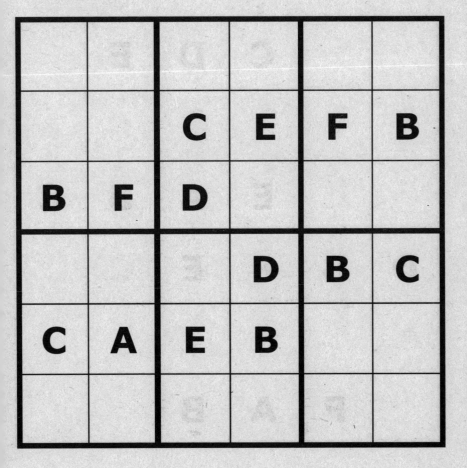

		C	E	F	B
B	F	D			
			D	B	C
C	A	E	B		

		C	D	E	
		E	A	B	C
D	B	F	E		
	F	A	B		

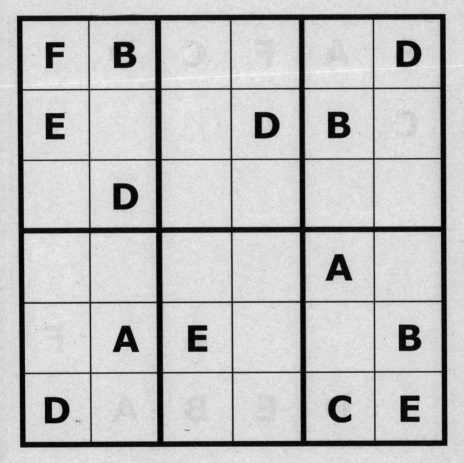

F	B				D
E			D	B	
	D				
				A	
	A	E			B
D				C	E

B	A	F	C	D	
C		A			
			A		F
	D	E	B	A	C

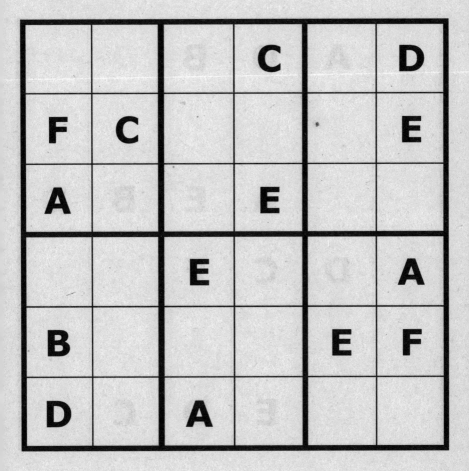

		C		A	D
F	C				E
A		E			
		E			A
B				E	F
D		A			

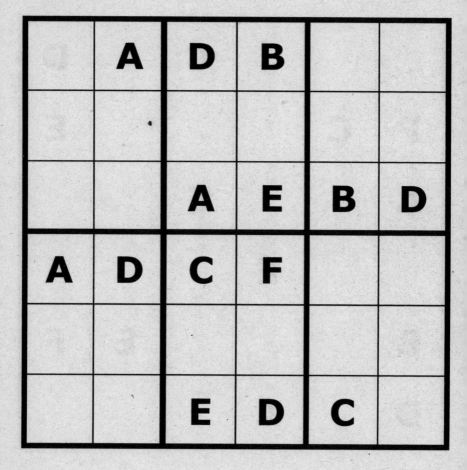

		A	D	B		
		A	E	B	D
A	D	C	F		
		E	D	C	

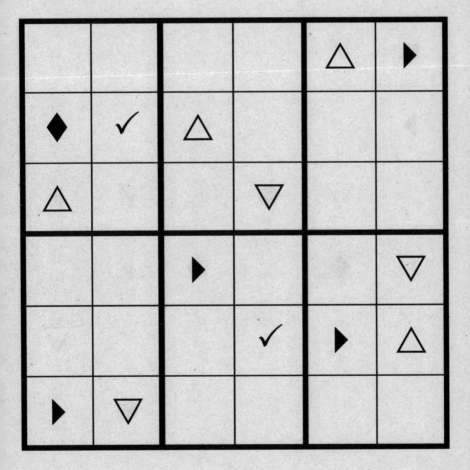

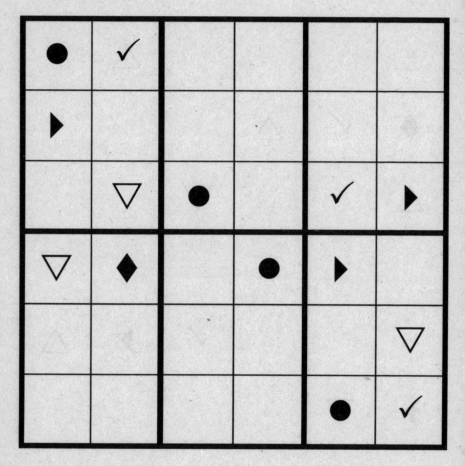

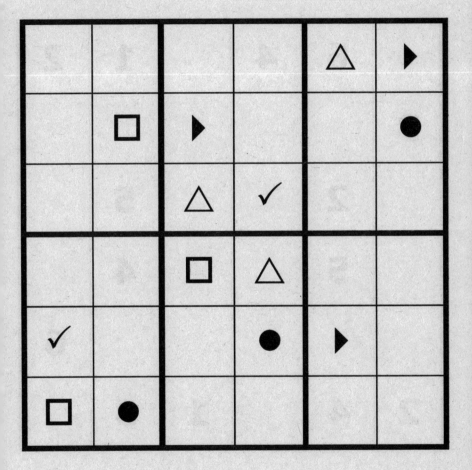

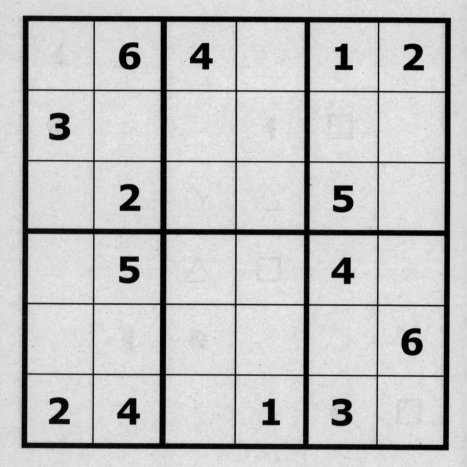

	6	4		1	2
3					
	2			5	
	5			4	
					6
2	4		1	3	

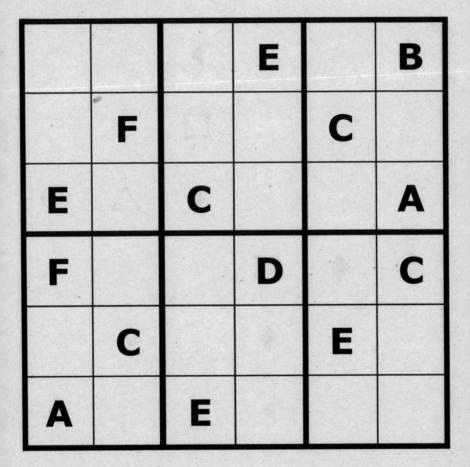

			E		B
	F			C	
E		C			A
F			D		C
	C			E	
A		E			

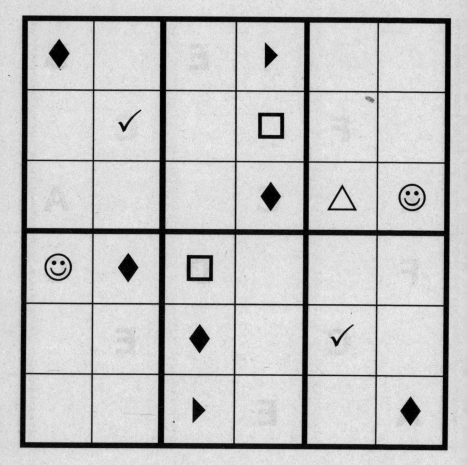

131

☺	☐	▶	☐		
	▽		☺		☐
	☺	▽	△	☺	
	▶	☐	▽	▽	
☺		☺		▽	△
		△	●	☐	▶

133

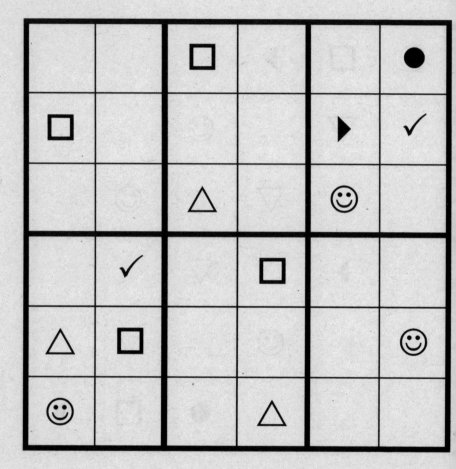

133

△		▽	◆	✓	
		▶	△		◆
		✓	▶		
	●	◆	▽		✓

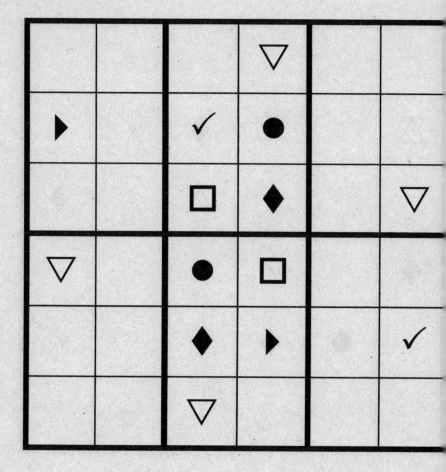

135

	☺	◆	△	✓	
△	●				
			△		
	△				
				▽	☺
	▽	☺	✓	●	

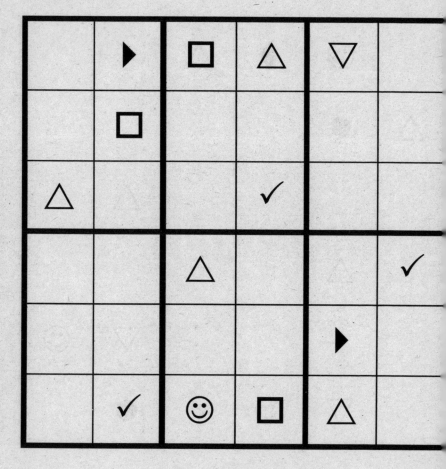

137

				3	4
4	2	3			
	3	6			
			1	6	
			6	4	2
6	4				

		3			
			6	5	2
5	6				4
6				2	3
2	4	6			
			1		

139

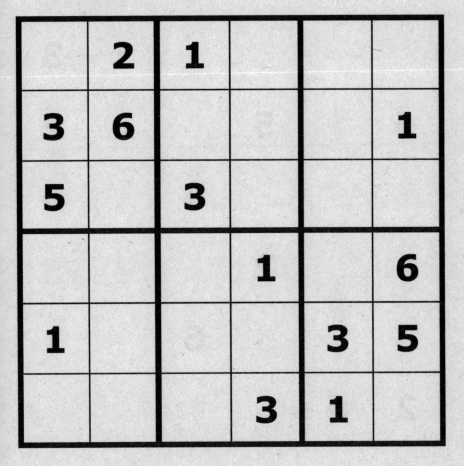

	2	1			
3	6				1
5		3			
			1		6
1				3	5
			3	1	

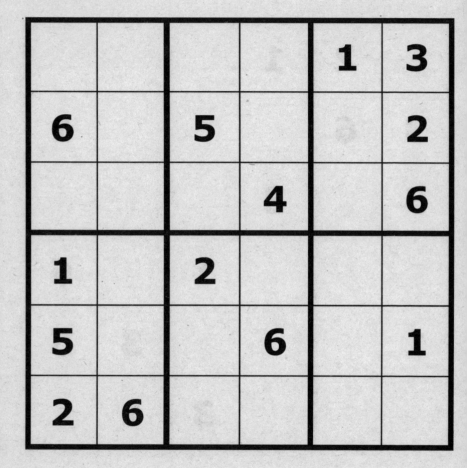

				1	3
6		5			2
			4		6
1		2			
5			6		1
2	6				

1		6			
	4	1			
	5			1	6
5	6			2	
			2	6	
			6		3

142

5	2				1
		5		3	2
		6			
			5		
3	5		6		
6				5	3

143

	4	5			
			4	6	
		6		4	1
3	1		6		
	2	1			
			2	1	

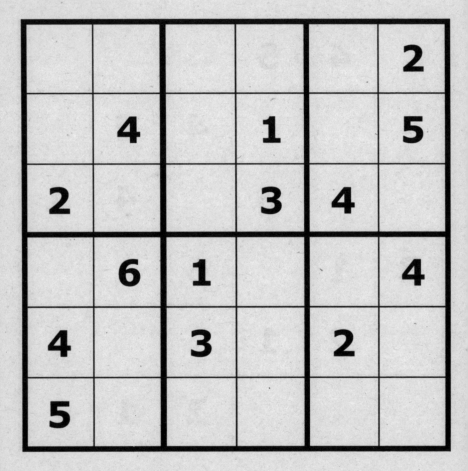

					2
	4		1		5
2			3	4	
	6	1			4
4		3		2	
5					

6	3			2	
1				3	6
		3			
			4		
4	1				3
	2			6	4

		C		B	
B	D	E	A		
			B		
		B			
		D	C	F	A
	C		E		

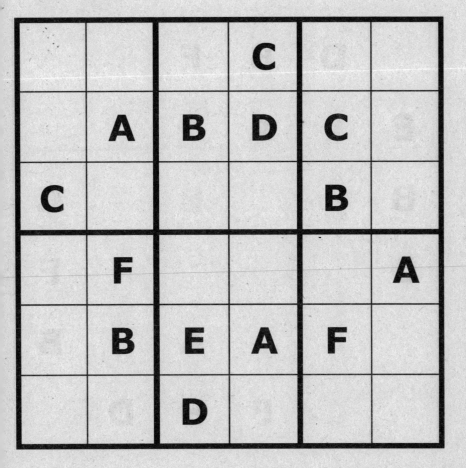

		C			
	A	B	D	C	
C				B	
	F				A
	B	E	A	F	
		D			

	D	B	F		
E		A			
B					C
D					F
			A		B
		F	B	D	

	F			D	E
C		D			
	A	B			
			D	F	
			A		D
A	D			E	

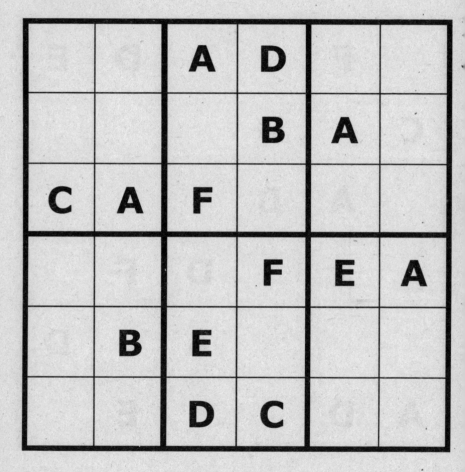

		A	D		
			B	A	
C	A	F			
			F	E	A
	B	E			
		D	C		

		2		8		5		
4								3
	1		4		3		2	
9		5	3		7	1		4
			8		1			
1		8	9		5	3		6
	7		5		4		6	
6								8
		1		9		7		

152

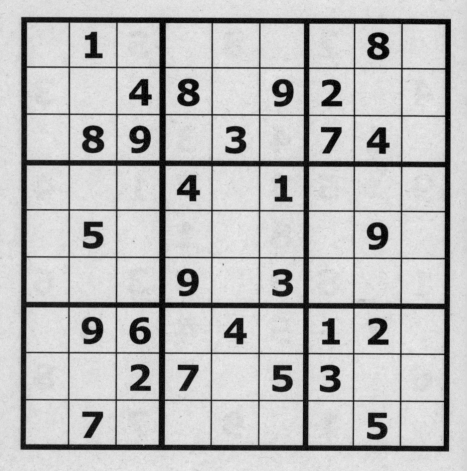

	1						8	
		4	8		9	2		
	8	9		3		7	4	
			4		1			
	5						9	
			9		3			
	9	6		4		1	2	
		2	7		5	3		
	7						5	

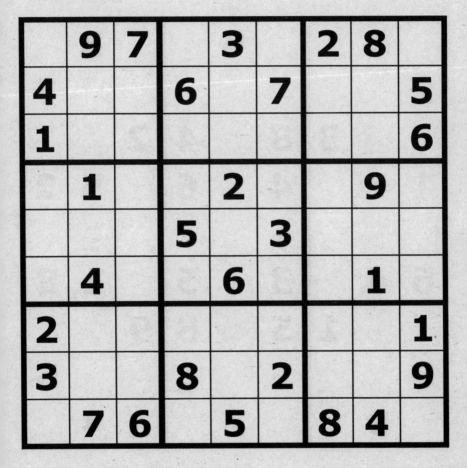

	9	7		3		2	8	
4			6		7			5
1								6
	1			2			9	
			5		3			
	4			6			1	
2								1
3			8		2			9
	7	6		5		8	4	

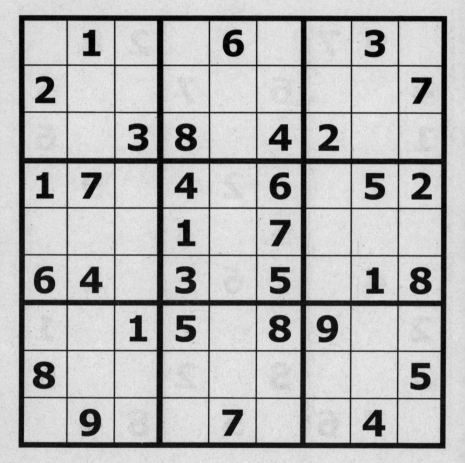

	1			6			3	
2								7
		3	8		4	2		
1	7		4		6		5	2
			1		7			
6	4		3		5		1	8
		1	5		8	9		
8								5
	9			7			4	

155

		4				7		
6			7		4			8
2		8		3		5		9
			5		6			
		5				4		
			3		2			
7		3		6		1		5
8			1		5			3
		1				2		

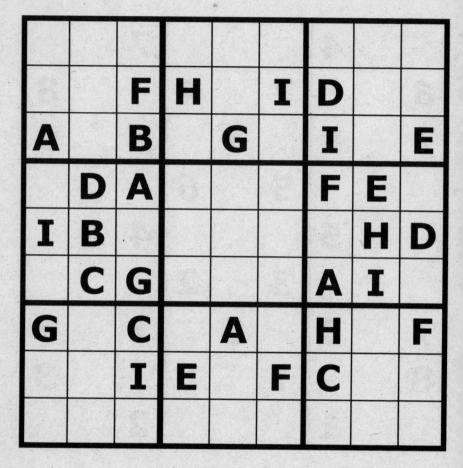

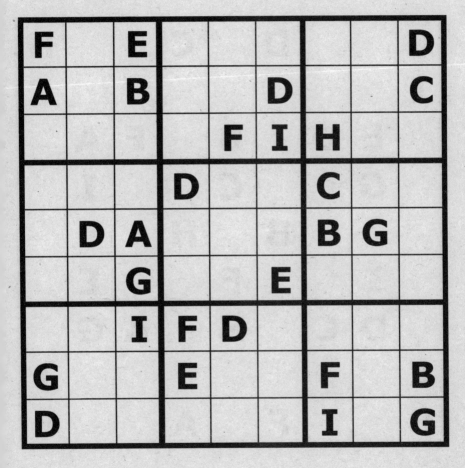

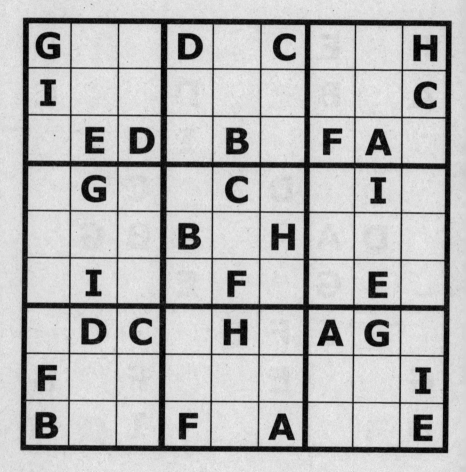

G			D		C			H
I								C
	E	D		B		F	A	
	G			C			I	
		B			H			
	I			F			E	
	D	C		H		A	G	
F								I
B			F		A			E

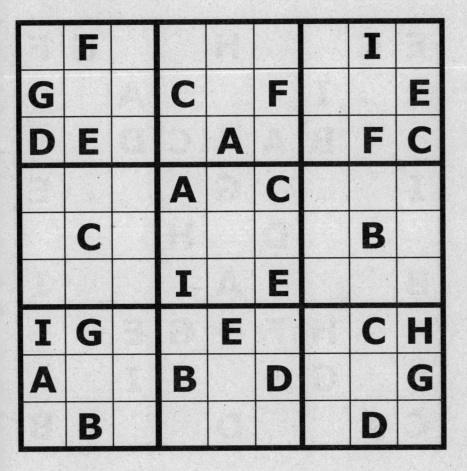

	F						I	
G			C		F			E
D	E			A			F	C
			A		C			
	C						B	
			I		E			
I	G			E			C	H
A			B		D			G
	B						D	

160

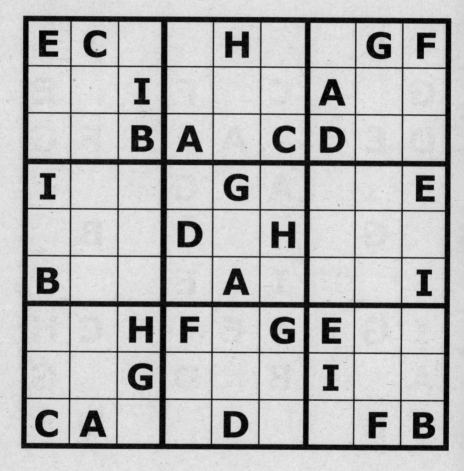

E	C			H			G	F
		I				A		
		B	A		C	D		
I				G				E
			D		H			
B				A				I
		H	F		G	E		
		G				I		
C	A			D			F	B

161

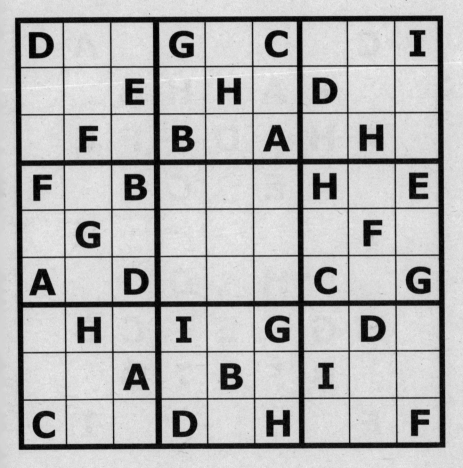

D			G		C			I
		E		H		D		
	F		B		A		H	
F		B				H		E
	G						F	
A		D				C		G
	H		I		G		D	
		A		B		I		
C			D		H			F

162

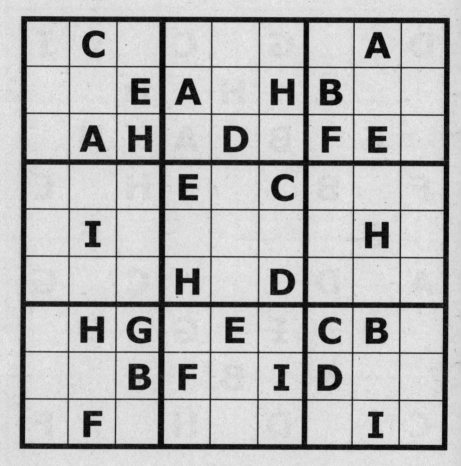

C							A	
	E	A		H	B			
A	H		D		F	E		
		E		C				
I						H		
		H		D				
H	G		E		C	B		
	B	F		I	D			
F						I		

ANSWERS

1

2	4	1	3
3	1	4	2
1	2	3	4
4	3	2	1

4

2	4	1	3
3	1	4	2
4	2	3	1
1	3	2	4

2

2	3	4	1
4	1	2	3
3	4	1	2
1	2	3	4

5

C	A	B	D
B	D	A	C
D	B	C	A
A	C	D	B

3

3	4	1	2
2	1	4	3
4	2	3	1
1	3	2	4

6

B	D	C	A
C	A	B	D
D	B	A	C
A	C	D	B

ANSWERS

7

B	D	A	C
C	A	B	D
A	C	D	B
D	B	C	A

10

C	A	D	B
D	B	C	A
A	C	B	D
B	D	A	C

8

B	D	C	A
C	A	B	D
A	B	D	C
D	C	A	B

11

A	C	D	B
B	D	C	A
C	B	A	D
D	A	B	C

9

D	C	A	B
A	B	D	C
B	A	C	D
C	D	B	A

12

D	B	C	A
A	C	B	D
B	D	A	C
C	A	D	B

ANSWERS

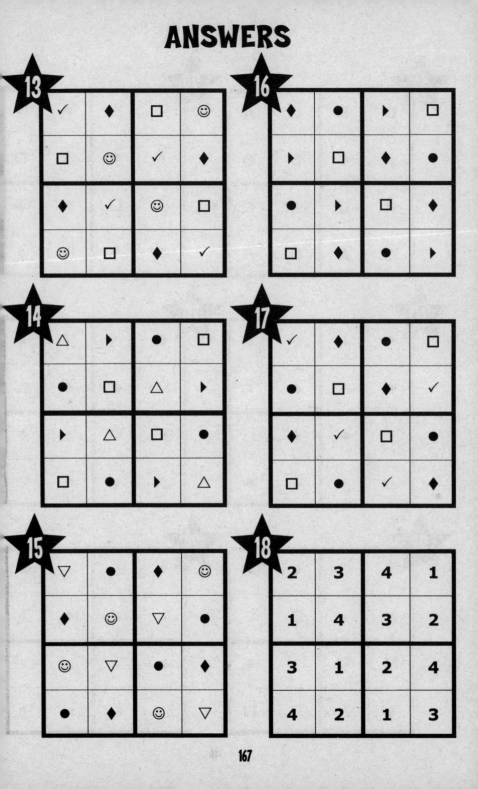

ANSWERS

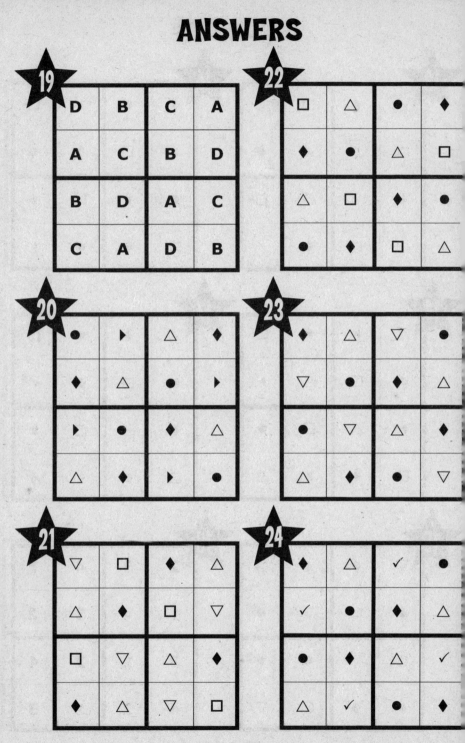

ANSWERS

25

▽	☺	▶	◆
◆	▶	☺	▽
▶	▽	◆	☺
☺	◆	▽	▶

28

1	3	2	4
2	4	1	3
4	1	3	2
3	2	4	1

26

✓	◆	△	▽
△	▽	✓	◆
◆	△	▽	✓
▽	✓	◆	△

29

3	1	4	2
4	2	3	1
2	3	1	4
1	4	2	3

27

3	2	4	1
4	1	3	2
1	3	2	4
2	4	1	3

30

2	4	1	3
1	3	4	2
4	2	3	1
3	1	2	4

ANSWERS

31

4	2	1	3
3	1	4	2
1	3	2	4
2	4	3	1

34

1	3	4	2
2	4	3	1
4	1	2	3
3	2	1	4

32

3	1	2	4
4	2	1	3
1	4	3	2
2	3	4	1

35

1	3	4	2
2	4	3	1
3	1	2	4
4	2	1	3

33

2	1	3	4
4	3	2	1
1	2	4	3
3	4	1	2

36

B	D	C	A
C	A	D	B
D	B	A	C
A	C	B	D

ANSWERS

37

B	D	C	A
C	A	B	D
D	B	A	C
A	C	D	B

40

C	D	B	A
B	A	C	D
A	B	D	C
D	C	A	B

38

B	D	C	A
C	A	D	B
D	B	A	C
A	C	B	D

41

D	A	B	C
B	C	D	A
A	B	C	D
C	D	A	B

39

C	B	D	A
D	A	C	B
A	C	B	D
B	D	A	C

42

B	C	A	D
A	D	B	C
D	A	C	B
C	B	D	A

ANSWERS

43

▶	□	●	✓
●	✓	▶	□
✓	▶	□	●
□	●	✓	▶

4[6]

◆	▽	☺	△
△	☺	◆	▽
▽	◆	△	☺
☺	△	▽	◆

44

✓	△	◆	●
◆	●	△	✓
●	◆	✓	△
△	✓	●	◆

47

●	▶	☺	◆
◆	☺	▶	●
☺	●	◆	▶
▶	◆	●	☺

45

✓	△	▽	☺
▽	☺	✓	△
☺	✓	△	▽
△	▽	☺	✓

48

1	3	2	4
2	4	1	3
3	2	4	1
4	1	3	2

ANSWERS

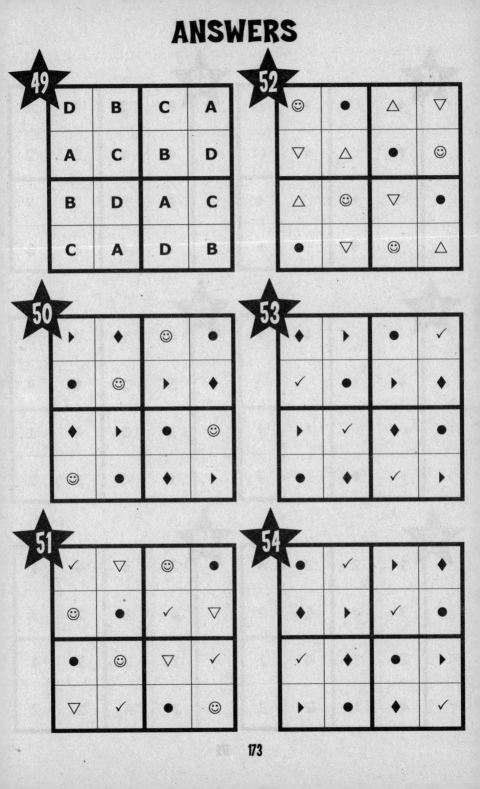

49

D	B	C	A
A	C	B	D
B	D	A	C
C	A	D	B

52

☺	●	△	▽
▽	△	●	☺
△	☺	▽	●
●	▽	☺	△

50

▶	◆	☺	●
●	☺	▶	◆
◆	▶	●	☺
☺	●	◆	▶

53

◆	▶	●	✓
✓	●	▶	◆
▶	✓	◆	●
●	◆	✓	▶

51

✓	▽	☺	●
☺	●	✓	▽
●	☺	▽	✓
▽	✓	●	☺

54

●	✓	▶	◆
◆	▶	✓	●
✓	◆	●	▶
▶	●	◆	✓

ANSWERS

55

♦	☺	▶	△
▶	△	♦	☺
☺	▶	△	♦
△	♦	☺	▶

58

3	2	4	1
4	1	3	2
1	3	2	4
2	4	1	3

56

▽	△	♦	▶
♦	▶	▽	△
△	▽	▶	♦
▶	♦	△	▽

59

4	1	2	3
3	2	1	4
2	3	4	1
1	4	3	2

57

1	2	3	4
3	4	1	2
2	3	4	1
4	1	2	3

60

2	3	4	1
4	1	2	3
1	2	3	4
3	4	1	2

ANSWERS

61

3	2	4	1
1	4	3	2
2	3	1	4
4	1	2	3

64

4	3	1	2
1	2	4	3
3	4	2	1
2	1	3	4

62

4	3	1	2
1	2	4	3
2	4	3	1
3	1	2	4

65

2	1	4	3
4	3	2	1
1	4	3	2
3	2	1	4

63

4	2	3	1
1	3	4	2
2	4	1	3
3	1	2	4

66

D	A	C	B
B	C	D	A
C	B	A	D
A	D	B	C

ANSWERS

67

A	C	B	D
B	D	C	A
C	A	D	B
D	B	A	C

70

D	A	B	C
C	B	D	A
A	D	C	B
B	C	A	D

68

B	A	C	D
D	C	A	B
A	D	B	C
C	B	D	A

71

D	A	B	C
B	C	D	A
A	B	C	D
C	D	A	B

69

C	D	A	B
B	A	D	C
D	B	C	A
A	C	B	D

72

D	B	A	C
A	C	B	D
B	D	C	A
C	A	D	B

ANSWERS

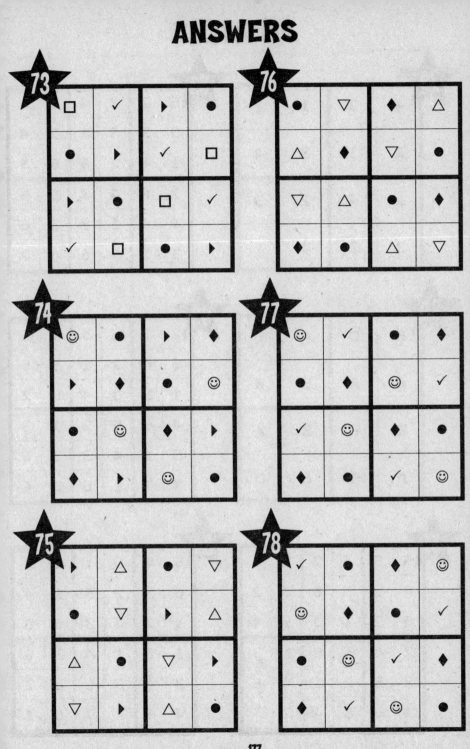

ANSWERS

79

4	3	1	2
2	1	3	4
1	4	2	3
3	2	4	1

82

6	2	3	4	5	1
5	3	6	1	2	4
1	4	2	5	6	3
2	6	4	3	1	5
4	5	1	2	3	6
3	1	5	6	4	2

80

B	D	A	C
C	A	D	B
D	C	B	A
A	B	C	D

83

2	3	6	5	4	1
6	4	2	1	3	5
1	5	3	4	6	2
4	6	5	2	1	3
5	1	4	3	2	6
3	2	1	6	5	4

81

5	3	4	2	6	1
4	1	5	6	3	2
6	2	1	3	5	4
2	4	6	5	1	3
3	5	2	1	4	6
1	6	3	4	2	5

84

5	4	6	1	2	3
6	3	2	5	1	4
1	2	4	3	6	5
2	5	1	4	3	6
3	1	5	6	4	2
4	6	3	2	5	1

ANSWERS

85

2	1	3	4	5	6
4	5	6	2	1	3
3	6	1	5	2	4
5	2	4	6	3	1
6	3	5	1	4	2
1	4	2	3	6	5

88

A	C	D	E	F	B
E	D	F	B	C	A
B	F	C	A	D	E
D	E	A	F	B	C
F	A	B	C	E	D
C	B	E	D	A	F

86

B	C	F	A	D	E
A	E	B	D	F	C
D	F	C	E	B	A
E	A	D	B	C	F
F	D	E	C	A	B
C	B	A	F	E	D

89

B	C	D	A	E	F
D	E	F	B	C	A
A	F	E	C	B	D
C	A	B	D	F	E
E	D	C	F	A	B
F	B	A	E	D	C

87

F	D	C	A	B	E
E	B	D	F	A	C
A	C	E	B	F	D
B	E	F	C	D	A
C	F	A	D	E	B
D	A	B	E	C	F

90

A	D	E	F	B	C
B	E	C	D	F	A
C	F	A	B	D	E
D	A	B	C	E	F
E	B	F	A	C	D
F	C	D	E	A	B

ANSWERS

91

A	D	C	E	B	F
B	C	D	F	A	E
F	E	A	B	D	C
C	B	E	A	F	D
D	F	B	C	E	A
E	A	F	D	C	B

94

B	C	D	F	A	E
D	F	A	E	B	C
E	A	B	C	D	F
F	D	C	A	E	B
A	E	F	B	C	D
C	B	E	D	F	A

92

F	C	B	D	E	A
A	D	C	E	F	B
B	E	F	A	C	D
C	F	A	B	D	E
D	A	E	F	B	C
E	B	D	C	A	F

95

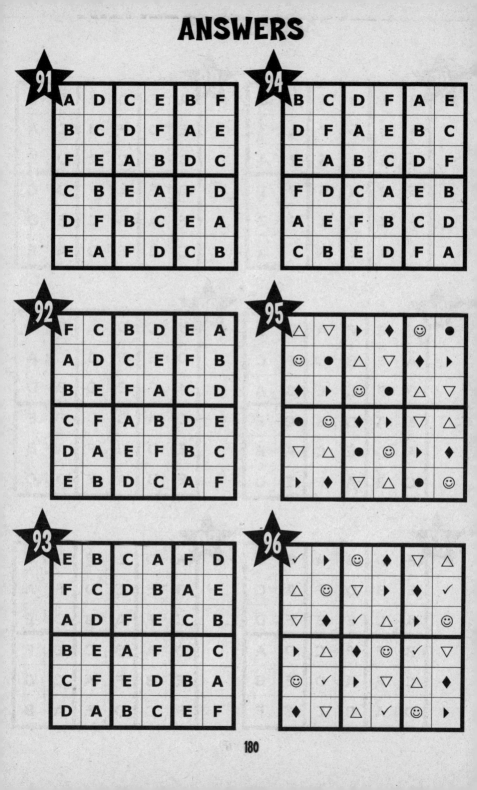

93

E	B	C	A	F	D
F	C	D	B	A	E
A	D	F	E	C	B
B	E	A	F	D	C
C	F	E	D	B	A
D	A	B	C	E	F

96

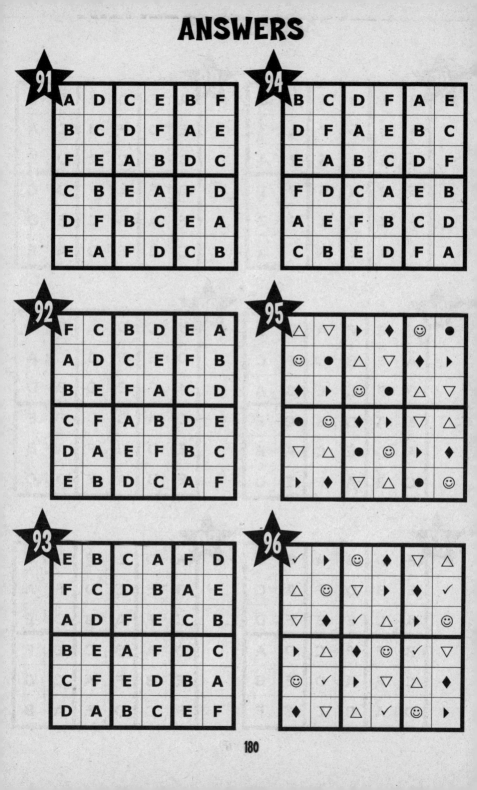

ANSWERS

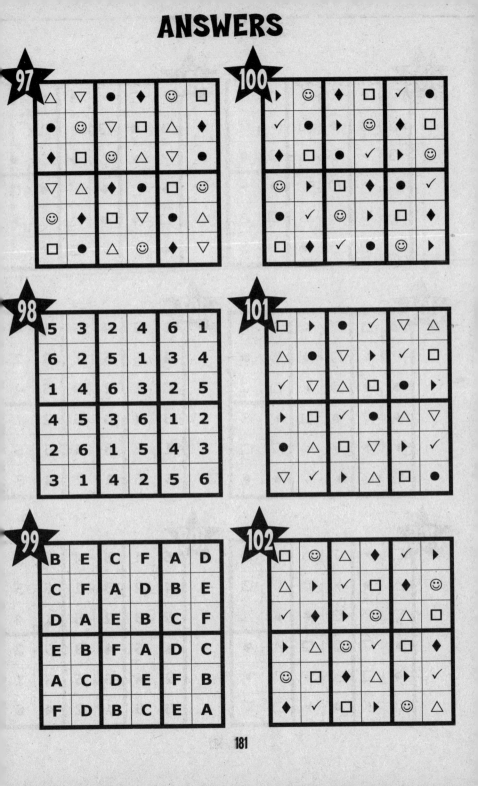

97

△	▽	●	◆	☺	□
●	☺	▽	□	△	◆
◆	□	☺	△	▽	●
▽	△	◆	●	□	☺
☺	◆	□	▽	●	△
□	●	△	☺	◆	▽

100

▶	☺	◆	□	✓	●
✓	●	▶	☺	◆	□
◆	□	●	✓	▶	☺
☺	▶	□	◆	●	✓
●	✓	☺	▶	□	◆
□	◆	✓	●	☺	▶

98

5	3	2	4	6	1
6	2	5	1	3	4
1	4	6	3	2	5
4	5	3	6	1	2
2	6	1	5	4	3
3	1	4	2	5	6

101

□	▶	●	✓	▽	△
△	●	▽	▶	✓	□
✓	▽	△	□	●	▶
▶	□	✓	●	△	▽
●	△	□	▽	▶	✓
▽	✓	▶	△	□	●

99

B	E	C	F	A	D
C	F	A	D	B	E
D	A	E	B	C	F
E	B	F	A	D	C
A	C	D	E	F	B
F	D	B	C	E	A

102

□	☺	△	◆	✓	▶
△	▶	✓	□	◆	☺
✓	◆	▶	☺	△	□
▶	△	☺	✓	□	◆
☺	□	◆	△	▶	✓
◆	✓	□	▶	☺	△

ANSWERS

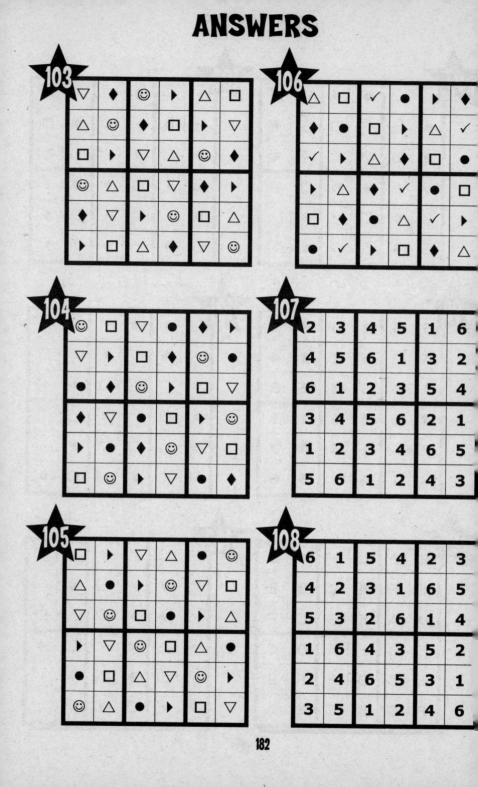

103

▽	◆	☺	▶	△	◻
△	☺	◆	◻	▶	▽
◻	▶	▽	△	☺	◆
☺	△	◻	▽	◆	▶
◆	▽	▶	☺	◻	△
▶	◻	△	◆	▽	☺

106

△	◻	✓	●	▶	◆
◆	●	◻	▶	△	✓
✓	▶	△	◆	◻	●
▶	△	◆	✓	●	◻
◻	◆	●	△	✓	▶
●	✓	▶	◻	◆	△

104

☺	◻	▽	●	◆	▶
▽	▶	◻	◆	☺	●
●	◆	☺	▶	◻	▽
◆	▽	●	◻	▶	☺
▶	●	◆	☺	▽	◻
◻	☺	▶	▽	●	◆

107

2	3	4	5	1	6
4	5	6	1	3	2
6	1	2	3	5	4
3	4	5	6	2	1
1	2	3	4	6	5
5	6	1	2	4	3

105

◻	▶	▽	△	●	☺
△	●	▶	☺	▽	◻
▽	☺	◻	●	▶	△
▶	▽	☺	◻	△	●
●	◻	△	▽	☺	▶
☺	△	●	▶	◻	▽

108

6	1	5	4	2	3
4	2	3	1	6	5
5	3	2	6	1	4
1	6	4	3	5	2
2	4	6	5	3	1
3	5	1	2	4	6

ANSWERS

109

3	4	5	2	6	1
5	1	6	3	4	2
6	2	1	4	5	3
1	6	2	5	3	4
2	3	4	6	1	5
4	5	3	1	2	6

112

4	6	5	1	2	3
5	1	2	3	4	6
3	2	6	4	5	1
6	3	4	5	1	2
1	5	3	2	6	4
2	4	1	6	3	5

110

3	5	6	2	1	4
1	4	5	3	6	2
6	2	4	1	3	5
4	3	2	6	5	1
5	6	1	4	2	3
2	1	3	5	4	6

113

2	1	3	4	5	6
3	5	6	1	4	2
4	6	2	5	1	3
6	4	1	3	2	5
1	2	5	6	3	4
5	3	4	2	6	1

111

5	6	1	4	3	2
1	3	6	2	4	5
4	2	3	5	6	1
6	1	2	3	5	4
2	4	5	6	1	3
3	5	4	1	2	6

114

3	4	5	1	2	6
1	6	4	2	3	5
2	5	6	3	1	4
4	2	1	5	6	3
5	1	3	6	4	2
6	3	2	4	5	1

ANSWERS

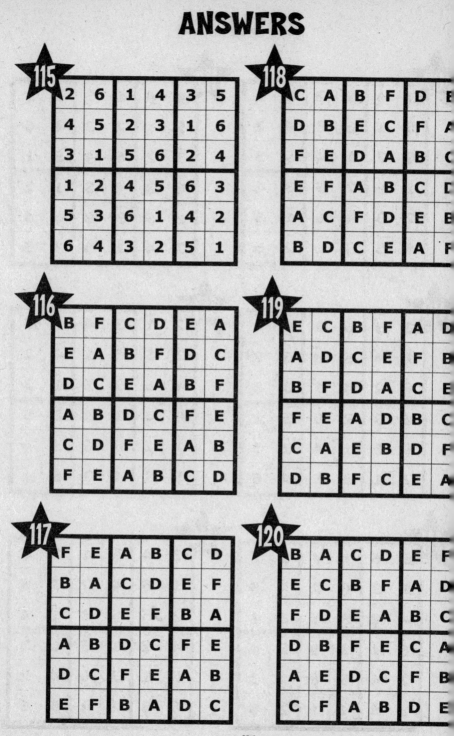

115

2	6	1	4	3	5
4	5	2	3	1	6
3	1	5	6	2	4
1	2	4	5	6	3
5	3	6	1	4	2
6	4	3	2	5	1

118

C	A	B	F	D	E
D	B	E	C	F	A
F	E	D	A	B	C
E	F	A	B	C	D
A	C	F	D	E	B
B	D	C	E	A	F

116

B	F	C	D	E	A
E	A	B	F	D	C
D	C	E	A	B	F
A	B	D	C	F	E
C	D	F	E	A	B
F	E	A	B	C	D

119

E	C	B	F	A	D
A	D	C	E	F	B
B	F	D	A	C	E
F	E	A	D	B	C
C	A	E	B	D	F
D	B	F	C	E	A

117

F	E	A	B	C	D
B	A	C	D	E	F
C	D	E	F	B	A
A	B	D	C	F	E
D	C	F	E	A	B
E	F	B	A	D	C

120

B	A	C	D	E	F
E	C	B	F	A	D
F	D	E	A	B	C
D	B	F	E	C	A
A	E	D	C	F	B
C	F	A	B	D	E

ANSWERS

121
F	B	C	A	E	D
E	C	F	D	B	A
A	D	B	E	F	C
B	E	D	C	A	F
C	A	E	F	D	B
D	F	A	B	C	E

122
B	A	F	C	D	E
C	E	A	D	F	B
D	F	B	E	C	A
A	B	C	F	E	D
E	C	D	A	B	F
F	D	E	B	A	C

123
E	B	F	C	A	D
F	C	D	A	B	E
A	D	B	E	F	C
C	F	E	B	D	A
B	A	C	D	E	F
D	E	A	F	C	B

124
E	A	D	B	F	C
D	B	F	C	A	E
F	C	A	E	B	D
A	D	C	F	E	B
C	E	B	A	D	F
B	F	E	D	C	A

125

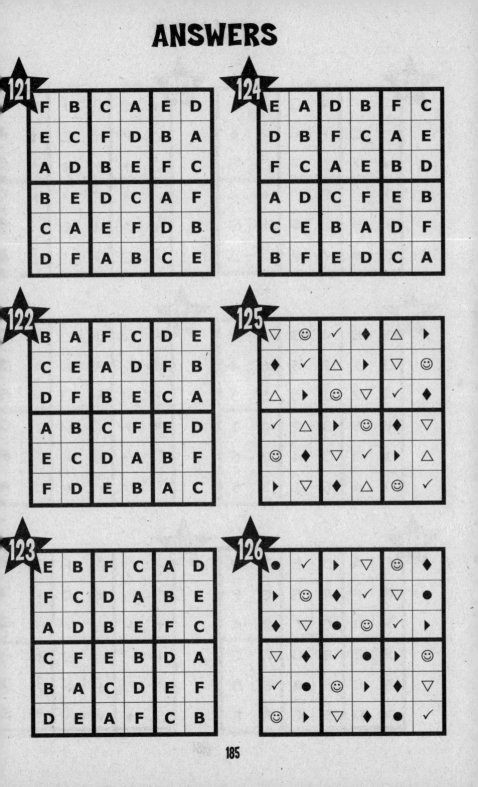

126

ANSWERS

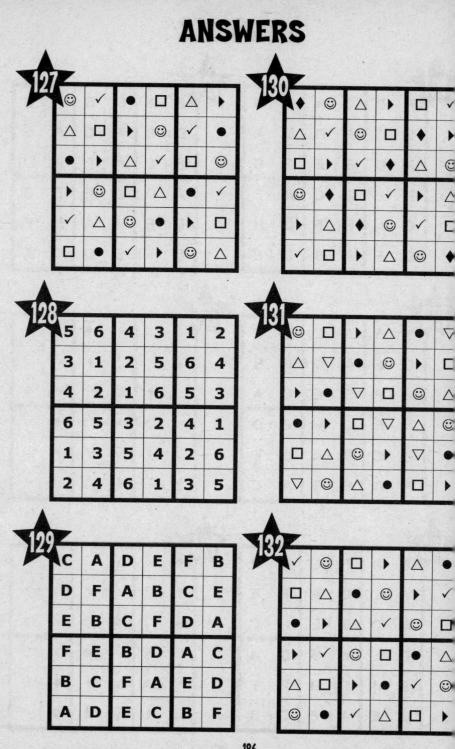

127

128

5	6	4	3	1	2
3	1	2	5	6	4
4	2	1	6	5	3
6	5	3	2	4	1
1	3	5	4	2	6
2	4	6	1	3	5

129

C	A	D	E	F	B
D	F	A	B	C	E
E	B	C	F	D	A
F	E	B	D	A	C
B	C	F	A	E	D
A	D	E	C	B	F

130

131

132

ANSWERS

133

▽	◆	●	✓	▶	△
△	▶	▽	◆	✓	●
●	✓	▶	△	▽	◆
◆	△	✓	▶	●	▽
▶	●	◆	▽	△	✓
✓	▽	△	●	◆	▶

136

✓	▶	□	△	▽	☺
▽	□	▶	☺	✓	△
△	☺	▽	✓	□	▶
□	▽	△	▶	☺	✓
☺	△	✓	▽	▶	□
▶	✓	☺	□	△	▽

134

□	◆	▶	▽	✓	●
▶	▽	✓	●	□	◆
✓	●	□	◆	▶	▽
▽	✓	●	□	◆	▶
●	□	◆	▶	▽	✓
◆	▶	▽	✓	●	□

137

5	6	1	2	3	4
4	2	3	5	1	6
1	3	6	4	2	5
2	5	4	1	6	3
3	1	5	6	4	2
6	4	2	3	5	1

135

▽	☺	◆	△	✓	●
△	●	✓	▽	☺	◆
✓	◆	●	☺	△	▽
☺	△	▽	●	◆	✓
●	✓	△	◆	▽	☺
◆	▽	☺	✓	●	△

138

4	2	3	5	6	1
1	3	4	6	5	2
5	6	1	2	3	4
6	1	5	4	2	3
2	4	6	3	1	5
3	5	2	1	4	6

ANSWERS

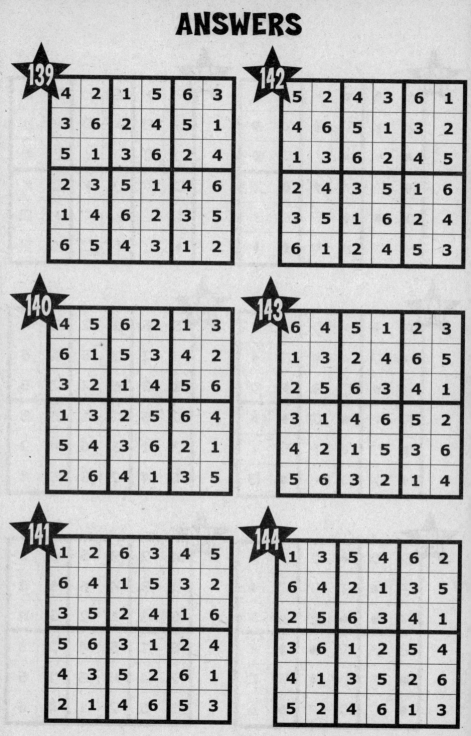

139

4	2	1	5	6	3
3	6	2	4	5	1
5	1	3	6	2	4
2	3	5	1	4	6
1	4	6	2	3	5
6	5	4	3	1	2

142

5	2	4	3	6	1
4	6	5	1	3	2
1	3	6	2	4	5
2	4	3	5	1	6
3	5	1	6	2	4
6	1	2	4	5	3

140

4	5	6	2	1	3
6	1	5	3	4	2
3	2	1	4	5	6
1	3	2	5	6	4
5	4	3	6	2	1
2	6	4	1	3	5

143

6	4	5	1	2	3
1	3	2	4	6	5
2	5	6	3	4	1
3	1	4	6	5	2
4	2	1	5	3	6
5	6	3	2	1	4

141

1	2	6	3	4	5
6	4	1	5	3	2
3	5	2	4	1	6
5	6	3	1	2	4
4	3	5	2	6	1
2	1	4	6	5	3

144

1	3	5	4	6	2
6	4	2	1	3	5
2	5	6	3	4	1
3	6	1	2	5	4
4	1	3	5	2	6
5	2	4	6	1	3

ANSWERS

145

6	3	4	1	2	5
1	4	2	5	3	6
2	5	3	6	4	1
3	6	5	4	1	2
4	1	6	2	5	3
5	2	1	3	6	4

148

C	D	B	F	E	A
E	F	A	C	B	D
B	A	E	D	F	C
D	B	C	E	A	F
F	E	D	A	C	B
A	C	F	B	D	E

146

A	F	C	D	B	E
B	D	E	A	C	F
C	E	F	B	A	D
D	A	B	F	E	C
E	B	D	C	F	A
F	C	A	E	D	B

149

B	F	A	C	D	E
C	E	D	F	A	B
D	A	B	E	C	F
E	B	C	D	F	A
F	C	E	A	B	D
A	D	F	B	E	C

147

B	E	F	C	A	D
F	A	B	D	C	E
C	D	A	E	B	F
E	F	C	B	D	A
D	B	E	A	F	C
A	C	D	F	E	B

150

B	F	A	D	C	E
E	D	C	B	A	F
C	A	F	E	B	D
D	C	B	F	E	A
F	B	E	A	D	C
A	E	D	C	F	B

ANSWERS

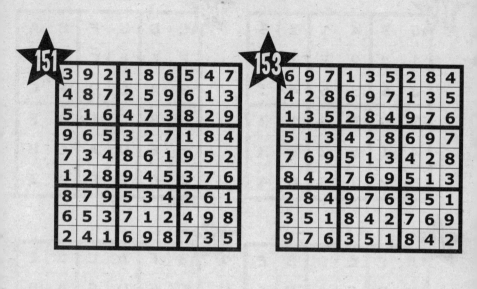

151

3	9	2	1	8	6	5	4	7
4	8	7	2	5	9	6	1	3
5	1	6	4	7	3	8	2	9
9	6	5	3	2	7	1	8	4
7	3	4	8	6	1	9	5	2
1	2	8	9	4	5	3	7	6
8	7	9	5	3	4	2	6	1
6	5	3	7	1	2	4	9	8
2	4	1	6	9	8	7	3	5

153

6	9	7	1	3	5	2	8	4
4	2	8	6	9	7	1	3	5
1	3	5	2	8	4	9	7	6
5	1	3	4	2	8	6	9	7
7	6	9	5	1	3	4	2	8
8	4	2	7	6	9	5	1	3
2	8	4	9	7	6	3	5	1
3	5	1	8	4	2	7	6	9
9	7	6	3	5	1	8	4	2

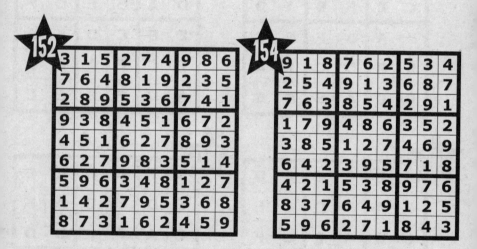

152

3	1	5	2	7	4	9	8	6
7	6	4	8	1	9	2	3	5
2	8	9	5	3	6	7	4	1
9	3	8	4	5	1	6	7	2
4	5	1	6	2	7	8	9	3
6	2	7	9	8	3	5	1	4
5	9	6	3	4	8	1	2	7
1	4	2	7	9	5	3	6	8
8	7	3	1	6	2	4	5	9

154

9	1	8	7	6	2	5	3	4
2	5	4	9	1	3	6	8	7
7	6	3	8	5	4	2	9	1
1	7	9	4	8	6	3	5	2
3	8	5	1	2	7	4	6	9
6	4	2	3	9	5	7	1	8
4	2	1	5	3	8	9	7	6
8	3	7	6	4	9	1	2	5
5	9	6	2	7	1	8	4	3